101 SABROSOS PLATOS ÚNICOS

Jeni Wright

Grijalbo

Sumario

Introducción

¿Acaso hay algo más sencillo que cocinar todo en un solo recipiente? En *BBC Good Food Magazine* pensamos que es la mejor forma de cocinar. No solo es más rápido y ahorra tiempo de fregado, sino que también evita tener que hacer malabarismos con un sinfín de cacharros. Pero quizá lo más importante es que nos permite hacer el tipo de comidas que nos encantan, platos que puedes llevar de la cocina a la mesa para que cada cual se sirva.

La mayoría de las recetas de este libro son comidas completas en sí mismas, como el *Pollo con brócoli y limón* que aparece en la ilustración de la izquierda (véase la receta en la página 52), por lo que solo hace falta acompañarlas con una ensalada rápida o pan. La próxima vez que vayas al supermercado, echa un vistazo a la amplia variedad de arroces y fideos precocinado, o que solo hay que calentar.

Como siempre, en *BBC Good Food Magazine* hemos hecho el trabajo duro por ti: hemos probado dos veces cada receta para asegurarnos de que siempre salen bien, y también hemos incluido información nutricional para que sepas con exactitud qué estás comiendo. Por último, hemos incluido un capítulo especial con nuestros postres favoritos. Sabemos que te encantarán, y además se preparan en un solo recipiente. ¿No te parece ingenioso?

Jeni Wright
BBC Good Food Magazine

Tablas de conversión

NOTA PREVIA
- Los huevos utilizados serán de medida grande (L), a menos que se indique lo contrario.
- Lavar todos los alimentos frescos antes de prepararlos.
- Las recetas incluyen un análisis nutricional del «azúcar», que se refiere al contenido total de azúcar, incluso todos los azúcares naturales presentes en los ingredientes, excepto que se especifique otra cosa.

TEMPERATURA DEL HORNO

Gas	°C	°C convección	Temperatura
¼	110	90	Muy fría
½	120	100	Muy fría
1	140	120	Fría o suave
2	150	130	Fría o suave
3	160	140	Tibia
4	180	160	Moderada
5	190	170	Moderada caliente
6	200	180	Bastante caliente
7	220	200	Caliente
8	230	210	Muy caliente
9	240	220	Muy caliente

MEDIDAS DE LAS CUCHARADAS
Las cucharadas son rasas, salvo indicación contraria.
- 1 cucharadita = 5 ml
- 1 cucharada = 15 ml

RECETAS

Esta sustanciosa cena invernal es una forma fantástica de conseguir tus vitaminas diarias.

Potaje consistente

800 g de tomates troceados en lata
2 litro de caldo vegetal
4 zanahorias en rodajas
800 g de legumbres cocidas variadas
175 g de hojas de espinacas
1 cucharada de salsa pesto con
  pimiento rojo asado
pan crujiente para servir

15-20 minutos • 4 raciones

1 Poner los tomates en una cacerola grande junto con el caldo. Llevar a ebullición, bajar el fuego y echar las zanahorias. Cocer a fuego lento hasta que las zanahorias estén hechas, durante un cuarto de hora aproximadamente.
2 Añadir las legumbres y las espinacas, y calentar removiendo hasta que las espinacas estén blandas. Agregar el pesto y mezclar suavemente. Servir el potaje con pan crujiente.

• Cada ración contiene: 219 kcal, 16 g de proteínas, 34 g de carbohidratos, 3 g de grasas, 3 g de grasas saturadas, 12 g de fibra, 0 g de azúcar añadido, 3,16 g de sal.

Un estupendo plato único ligero o un entrante que calienta el cuerpo.
Si no te gusta el queso de cabra, prueba a utilizar brie.

Crema de brócoli con queso de cabra

50 g de mantequilla
1 cebolla grande picada finamente
900 g de brócoli picado (mantener
    separados los floretes y los tallos)
nuez moscada recién rallada en
    abundancia
1 litro de caldo vegetal o de pollo
600 ml de leche entera
100 g de queso de cabra de rulo,
    cortado en trocitos (con corteza)
picatostes para servir (opcional)

40-50 minutos • 4 raciones

1 Fundir la mantequilla en una cacerola grande, añadir la cebolla, los tallos de brócoli y la nuez moscada y freír durante 5 minutos hasta que todo esté blando. Añadir los floretes de brócoli y el caldo, y luego la leche. Tapar y cocer a fuego lento durante 8 minutos hasta que el brócoli esté tierno.

2 Retirar unos 4 cazos de brócoli y a continuación triturar el resto del contenido de la cazuela hasta formar un puré homogéneo. Agregar a la crema el brócoli reservado y rectificar de sal. (Esta sopa se conserva en la nevera durante 2 días, aunque también puede dejarse enfriar y congelarse, hasta 2 meses.

3 Para servir, recalentar si es necesario y echar por encima el queso de cabra, y picatostes si se desea.

• Cada ración contiene: 371 kcal, 22 g de proteínas, 16 g de carbohidratos, 25 g de grasas, 14,5 g de grasas saturadas, 6,6 g de fibra, 0 g de azúcar añadido, 1,67 g de sal.

Para elaborar una versión india de esta sopa picante, utiliza pollo cocido y una cucharadita de pasta de curry en lugar de chorizo.

Sopa de garbanzos con chorizo

400 g de tomates troceados de lata
110 g de chorizo (sin cortar)
140 g de col rizada
1 pizca de guindilla en escamas
400 g de garbanzos cocidos
1 cubito de caldo de pollo o vegetal
pan crujiente o pan de ajo para servir

10 minutos • 2 raciones

1 Poner una cazuela mediana al fuego y echar los tomates seguidos de una lata de agua. Mientras los tomates se calientan, picar rápidamente el chorizo en trozos grandes (quitando la piel) y cortar la col en tiras.
2 Poner el chorizo y la col en la cazuela con la guindilla en escamas y los garbanzos, y luego desmenuzar el cubito de caldo. Mezclar bien, tapar y dejar borbotear a fuego vivo durante 6 minutos o hasta que la col esté en su punto. Servir en cuencos y comer con pan crujiente o pan de ajo.

• Cada ración contiene: 366 kcal, 23 g de proteínas, 30 g de carbohidratos, 18 g de grasas, 5 g de grasas saturadas, 9 g de fibra, 0,3 g de azúcar añadido, 4,26 g de sal.

La merluza Hoki se importa de Nueva Zelanda y se puede encontrar en la sección de congelados de los supermercados.

Bullabesa

500 g de salsa de tomate para la pasta

450 ml de caldo de pescado (utilizar una pastilla)

2 calabacines, cortados en rodajas finas

1 bulbo de hinojo, cortado en rodajas finas

450 g de merluza Hoki o filetes de bacalao, descongelados si están congelados

un manojo de hojas frescas de albahaca, separadas unas de otras

PARA SERVIR

1 cucharadita de chile chiplote en adobo

salsa o pasta de chile

5 cucharadas de nata semidescremada

15 minutos • 4 raciones

1 Llevar a ebullición la salsa de tomate y el caldo en una olla grande y cocinar a fuego lento durante 2-3 minutos. Añadir los calabacines y el hinojo y continuar cocinando a fuego lento durante 2 minutos más.

2 Cortar el pescado en trozos de 4 cm. Añadir a la sopa y cocinar a fuego lento durante 2-3 minutos o hasta que el pescado esté cocido. No remover para que el pescado no se deshaga. Añadir la albahaca y rectificar de sal y pimienta.

3 Para servir, mezclar el chile chiplote o la pasta de chile con la nata y salpimentar. Con un cucharón repartir la sopa en los boles y poner por encima una cucharadita de nata.

• Cada ración contiene: 164 kilocalorías, 23 g de proteínas, 9 g de carbohidratos, 4 g de grasas, 1 g de grasas saturadas, 3 g de fibra, 5 g de azúcar añadido, 1,83 g de sal.

Una sopa estupenda para congelar. Solo tienes que recalentarla,
acompañarla de unas tostadas con queso si te gusta
(con edam quedan muy sabrosas) y servir.

Sopa otoñal de verduras

1 puerro picado finamente
2 zanahorias picadas finamente
1 patata pelada y picada finamente
1 diente de ajo picado finamente
1 cucharada de romero fresco picado
425 ml de caldo vegetal
½ cucharadita de azúcar
800 g de tomates troceados de lata
400 g de garbanzos cocidos
3 cucharadas de perejil picado
unas tostadas con queso o untadas
    con mantequilla para servir
    (opcional)

30-40 minutos • 4 raciones

1 Poner las verduras en una cacerola grande
con el ajo, el romero, el caldo y el azúcar.
Salpimentar y mezclar bien, y luego llevar
a ebullición suave. Tapar y cocer a fuego lento
durante 15 minutos o hasta que las verduras
estén en su punto.
2 Triturar los tomates hasta que formen una
crema homogénea. A continuación echar sobre
las verduras, junto con los garbanzos y el perejil.
Calentar bien a fuego lento, removiendo de vez
en cuando. Rectificar de sal y servir caliente.
Acompañar de tostadas con queso o con
mantequilla si se desea.

• Cada ración contiene: 151 kcal, 9 g de proteínas,
25 g de carbohidratos, 2 g de grasas, 0 g de grasas
saturadas, 6,9 g de fibra, 0,7 g de azúcar añadido,
1,14 g de sal.

Para una comida aún más auténtica, sirve esta sopa rica y cremosa con aromático arroz de jazmín.

Sopa de pollo con coco al estilo tailandés

800 g de leche de coco

3 cucharadas de salsa de pescado

1 trozo de 4 cm de jengibre fresco o galanga picado finamente

2 tallos de hierba limón finamente picados

6 hojas de lima kaffir o tiras de piel de lima

1 guindilla roja fresca picada

2 cucharaditas de azúcar mascabado

500 g de pechugas de pollo deshuesadas y sin piel, cortadas en trozos del tamaño de un bocado

2 cucharadas de zumo de lima

un buen puñado de albahaca fresca y de cilantro picados

35-40 minutos • 4 raciones

1 Echar todos los ingredientes excepto el pollo, el zumo de lima y las hierbas en una cacerola grande, llevar a ebullición y cocer a fuego lento sin tapar durante 5 minutos.

2 Añadir el pollo, tapar y cocer con suavidad durante 8-10 minutos o hasta que esté tierno. Incorporar el zumo de lima y luego esparcir por encima las hierbas antes de servir.

• Cada ración contiene: 479 kcal, 35 g de proteínas, 10 g de carbohidratos, 34 g de grasas, 28,3 g de grasas saturadas, 0 g de fibra, 2,8 g de azúcar añadido, 2,96 g de sal.

Nada puede compararse con una sopa de tomate recién hecha.
Espera al otoño, cuando los tomates están en su mejor momento.

Sopa de tomate provenzal

2 cucharadas de aceite de oliva
1 cebolla muy picada
1 zanahoria muy picada
1 rama de apio muy picada
2 cucharaditas de concentrado
   de tomate
1 kg de tomates maduros cortados
   en cuartos
2 hojas de laurel
una buena pizca de azúcar
1,2 litro de caldo vegetal

PARA SERVIR (OPCIONAL)
4 cucharadas de *crème fraîche*
un puñado de hojas de albahaca

1½-1¾ horas • 4 raciones

1 Calentar el aceite en una cacerola y sofreír
la cebolla, la zanahoria y el apio hasta que se
ablanden y tomen un poco de color. Añadir el
concentrado de tomate. Echar los tomates y
añadir las hojas de laurel y el azúcar. Salpimentar
al gusto. Mezclar bien, tapar y cocer 10 minutos,
hasta que los tomates se reduzcan un poco.
2 Echar el caldo, remover y llevar a ebullición.
Tapar y cocer suavemente durante 30 minutos,
removiendo una o dos veces. Retirar las hojas
de laurel. Batir la sopa en la cazuela hasta que
quede muy homogénea, y luego pasar por un
tamiz para quitar las pieles y semillas de tomate.
3 Devolver la sopa a la cazuela y recalentar.
Probar y añadir más azúcar, y sal y pimienta si se
desea, así como un poco más de concentrado de
tomate para obtener un color más intenso. Servir
caliente con *crème fraîche* y hojas de albahaca.

• Cada ración contiene: 124 kcal, 4 g de proteínas, 13 g
de carbohidratos, 7 g de grasas, 0,9 g de grasas saturadas,
3,7 g de fibra, 0,5 g de azúcar añadido, 1,09 g de sal.

Los berros y la menta aportan un aroma fresco a esta crema rápida y sabrosa.

Crema de tres verduras

1 nuez de mantequilla o un chorrito
   de aceite de oliva
1 manojo de cebollas tiernas picadas
3 calabacines picados
200 g de guisantes frescos
   o congelados
850 ml de caldo vegetal
100 g de berros limpios
un buen puñado de menta
2 cucharadas colmadas de yogur
   griego y un poco más para servir

15 minutos • 4 raciones

1 Calentar la mantequilla o el aceite en una cacerola grande, añadir las cebollas tiernas y los calabacines y mezclar bien. Tapar y cocinar durante 3 minutos, añadir los guisantes y el caldo, y llevar de nuevo a ebullición. Tapar y cocer con suavidad durante 4 minutos más, luego retirar del fuego e incorporar los berros y la menta hasta que se ablanden.

2 Batirlo todo en la cazuela, añadiendo el yogur poco a poco. Sazonar al gusto. Servir la crema caliente o fría con más yogur.

• Cada ración contiene: 100 kcal, 8 g de proteínas, 9 g de carbohidratos, 4 g de grasas, 2 g de grasas saturadas, 4 g de fibra, 0 g de azúcar añadido, 0,81 g de sal.

Para preparar de antemano esta sopa con vistas a una cena, congélala al final del paso 2 y recaliéntala justo antes de servirla.

Sopa de alubias blancas

1 cucharada de aceite de oliva
4 chalotas picadas finamente
2 dientes de ajo picados finamente
1 zanahoria picada finamente
2 ramas de apio picadas finamente
2 puerros picados finamente
150 g de beicon picado finamente
500 ml de caldo de pollo o vegetal
2 hojas de laurel
2 cucharaditas de orégano fresco
   o ½ cucharadita si es seco
800 g de alubias blancas cocidas

PARA SERVIR
un puñado de perejil picado
aceite de oliva virgen extra
6 ramitas finas de perejil

1 hora • 6 raciones

1 Calentar el aceite en una cacerola grande y echar las chalotas, el ajo, la zanahoria, el apio, los puerros y el beicon. Cocinar a fuego medio durante 5-7 minutos, removiendo de vez en cuando, hasta que los ingredientes se ablanden sin llegar a dorarse.
2 Verter el caldo y luego añadir las hojas de laurel y el orégano. Salpimentar y llevar a ebullición, tapar la cazuela y cocer a fuego lento durante 15 minutos. Incorporar las alubias, tapar de nuevo y cocer a fuego lento durante 5 minutos más.
3 Para servir, rectificar de sal y echar por encima el perejil picado. Servir en cuencos tibios con un chorrito de aceite de oliva y una ramita de perejil.

• Cada ración contiene: 214 kcal, 13 g de proteínas, 19 g de carbohidratos, 10 g de grasas, 3 g de grasas saturadas, 6 g de fibra, 0 g de azúcar añadido, 1,78 g de sal.

La sopa más fácil del libro: ¡no hay que picar nada!
Prueba a servirla con un puñado de hojas de menta para conseguir
un aroma intensamente fresco.

Sopa fría de guisantes y berros

500 g de guisantes congelados
100 g de berros limpios y cortados
90 ml de caldo vegetal
la ralladura y el zumo de 1 limón
    pequeño
4 cucharadas de yogur natural
cubitos de hielo para servir

10-15 minutos • 4 raciones

1 Poner todos los ingredientes, excepto
el yogur y el hielo, en el vaso de la batidora.
No llenarlo demasiado (puede que tenga que
hacerse en varias veces). Batirlo todo durante
un par de minutos hasta que la mezcla quede
homogénea y se vean trocitos de berro.
2 Salpimentar si se quiere y luego servir
directamente o conservar en frío hasta servir. La
sopa se conserva en un recipiente hermético
dentro de la nevera hasta 2 días (remover antes
de servirla), aunque también puede congelarse,
hasta 1 mes.
3 Servir con un poco de yogur y uno o dos
cubitos de hielo para que resulte aún más
refrescante.

• Cada ración contiene: 86 kcal, 8 g de proteínas,
11 g de carbohidratos, 1 g de grasas, 1 g de grasas
saturadas, 6 g de fibra, 0 g de azúcar añadido,
0,73 g de sal.

Una forma genial de aprovechar las sobras de Navidad.
Además, los sabores picantes suponen un agradable cambio.

Sopa de pavo picante

1 cucharada de aceite de oliva

1 cebolla grande cortada por la mitad
y luego en tiras finas

1 pimiento rojo sin semillas y cortado
en tiras finas

2 cucharaditas de cilantro molido

¼-½ cucharadita de guindilla en
escamas

3 cucharadas soperas de arroz
basmati o de grano largo

1,5 litro de caldo de pavo o de pollo

250 g de carne de pavo cocida y
cortada en tiras finas

400 g de garbanzos cocidos

1 manojo de cilantro o perejil picado

25-35 minutos • 4 raciones

1 Calentar el aceite en una cacerola grande,
añadir la cebolla y freír durante unos 5 minutos,
removiendo de vez en cuando hasta que
empiece a ablandarse.

2 Añadir el pimiento rojo, el cilantro molido, la
guindilla y el arroz, y remover durante 1 minuto
más o menos. Verter el caldo caliente, incorporar
el pavo y los garbanzos; salpimentar bien. Llevar
a ebullición, tapar y cocer a fuego lento 8-10
minutos, hasta que las verduras y el arroz estén
en su punto. Incorporar el cilantro o el perejil
y servir.

• Cada ración contiene: 291 kcal, 27 g de proteínas,
27 g de carbohidratos, 9 g de grasas, 2 g de grasas
saturadas, 4 g de fibra, 0 g de azúcar añadido,
1,78 g de sal.

Un plato insólito y sabroso para vegetarianos. Para los amantes de la carne, se pueden añadir 4 chorizos fritos cortados en rodajas junto con las cebollas y el apio.

Sopa marroquí de garbanzos

1 cucharada de aceite de oliva
1 cebolla mediana picada
2 ramas de apio picadas
2 cucharaditas de comino molido
600 ml de caldo vegetal
400 g de tomates en lata con ajo
400 g de garbanzos cocidos
100 g de habas congeladas
la ralladura y el zumo de ½ limón
un buen manojo de cilantro o perejil,
    y pan de pita, para servir

20-25 minutos • 4 raciones

1 Calentar el aceite en una cacerola grande, y luego sofreír la cebolla y el apio durante 10 minutos hasta que se ablanden, removiendo con frecuencia. Echar el comino y cocinar durante otro minuto más.
2 Subir el fuego y a continuación añadir el caldo, los tomates, los garbanzos y abundante pimienta negra. Hervir a fuego lengo 8 minutos. Incorporar las habas y el zumo de limón, y cocer 2 minutos más.
3 Sazonar al gusto y luego echar por encima una pizca de ralladura de limón y hierbas picadas. Servir con pan de pita.

• Cada ración contiene: 148 kcal, 9 g de proteínas, 17 g de carbohidratos, 5 g de grasas, 1 g de grasas saturadas, 6 g de fibra, 0 g de azúcar añadido, 1,07 g de sal.

La sopa ideal para iniciar la comida de un domingo de invierno.
El aceite de guindilla es el acompañamiento perfecto para las alubias.

Sopa de alubias con aceite de guindilla

500 g de alubias blancas remojadas
   durante una noche
2 cucharadas de aceite vegetal
1 cebolla mediana picada
1 diente de ajo picado
2 zanahorias picadas
2 ramas de apio picadas
500 ml de caldo vegetal
2 hojas de laurel
2-3 ramitas de tomillo y un poco más
   para servir
aceite de guindilla para rociar

1½-1¾ hora, más una noche
de remojo • 6 raciones

1 Escurrir las alubias. Quitarles las pieles
pellizcándolas entre el índice y el pulgar.
Ponerlas en un colador, aclararlas y escurrirlas.
2 Calentar en una cazuela el aceite, y freír la
cebolla y el ajo durante 1-2 minutos. Incorporar
las zanahorias y el apio; y sofreírlo todo 2-3
minutos. Añadir las alubias, el caldo, el laurel
y el tomillo con un poco de pimienta, y llevar
a ebullición. Bajar el fuego, tapar y cocer con
suavidad durante 20-25 minutos, espumando,
hasta que las alubias estén tiernas.
3 Dejar que se enfríe la sopa durante 10
minutos, retirar el laurel y el tomillo, y luego batirla
en la cazuela hasta formar un puré homogéneo.
Rectificar de sal y recalentar si es necesario.
Para servir, rociar con aceite de guindilla y unas
cuantas hojas de tomillo.

• Cada ración contiene: 319 kcal, 18 g de proteínas,
49 g de carbohidratos, 7 g de grasas, 1 g de grasas
saturadas, 15 g de fibra, 0 g de azúcar añadido,
0,89 g de sal.

El pesto y el queso parmesano añaden sabor
a esta sopa sencilla y saludable. Incorpora la ralladura de un limón
al final para hacerla aún más apetitosa.

Sopa ligera con pesto

1 calabacín cortado por la mitad
 y en rodajas muy finas
200 g de guisantes congelados
250 g de arroz basmati cocido
100 g de hojas tiernas de espinacas
600 ml de caldo vegetal o de pollo
4 cucharadas de pesto
aceite de oliva para rociar (opcional)
queso parmesano rallado para
 espolvorear
pan crujiente para servir

15-20 minutos • 4 raciones

1 Echar el calabacín y los guisantes en un
cuenco grande y cubrir con agua hirviendo.
Tapar el cuenco y luego dejar que repose
durante 3 minutos, hasta que las verduras
se ablanden un poco.
2 Escurrir las verduras y luego devolverlas
al cuenco, junto con el arroz y las hojas de
espinacas. Verter encima el caldo caliente;
tapar y dejar que repose durante otros 2
minutos, hasta que el arroz se caliente bien
y las espinacas se ablanden.
3 Salpimentar al gusto y luego servir la sopa
en cuencos. Añadir un poco de salsa pesto,
aceite de oliva, si se desea, y queso parmesano
rallado. Servir con pan crujiente.

• Cada ración contiene: 176 kcal, 9 g de proteínas,
25 g de carbohidratos, 5 g de grasas, 2 g de grasas
saturadas, 4 g de fibra, 0 g de azúcar añadido,
1,4 g de sal.

Una elaboración sencilla junto con los deliciosos sabores
y colores mediterráneos hacen de esta receta un plato muy versátil,
perfecto para una comida familiar o una cena con amigos.

Pollo asado con pisto

1 cebolla troceada

2 pimientos rojos sin semillas
   y en trozos grandes

1 calabacín (de unos 200 g) en trozos
   grandes

1 berenjena pequeña (de unos 300 g)
   en trozos grandes

4 tomates cortados por la mitad

4 cucharadas de aceite de oliva
   y un poco más para rociar

4 pechugas de pollo con piel
   (de unos 145 g cada una)

unas ramitas de romero (opcional)

50-60 minutos • 4 raciones

1 Precalentar el horno a 200 °C. Colocar todas las verduras y los tomates en una fuente para hornear poco honda. Asegurarse de que tengan mucho espacio, porque si no es así la cocción será más lenta. Rociar con el aceite de oliva y darles unas cuantas vueltas a las verduras hasta que queden bien engrasadas (es más fácil hacerlo con las manos).

2 Colocar las pechugas de pollo encima de las verduras y poner unas ramitas de romero si se quiere. Condimentarlo todo con sal y pimienta negra; rociar el pollo con un poco de aceite. Asar durante unos 35 minutos, hasta que las verduras estén tiernas y el pollo se dore. Rociar con aceite antes de servir.

• Cada ración contiene: 318 kcal, 37 g de proteínas, 13 g de carbohidratos, 14 g de grasas, 2 g de grasas saturadas, 4 g de fibra, 0 g de azúcar añadido, 0,25 g de sal.

Un plato ligero, delicioso y sano… ¡y encima se prepara
en una sola cazuela!

Albóndigas de pavo a la cazuela

500 g de carne picada de pavo
1 puñadito de perejil picado
1 cucharada de aceite de oliva
2 cebollas grandes picadas
2 dientes de ajo machacados
50 g de zanahorias cortadas en
  cuartos y luego en trozos grandes
50 g de patatas peladas y cortadas
  en trozos
1 cucharada de pimentón dulce
500 g de concentrado de tomate

45-50 minutos • 4 raciones

1 Mezclar la carne picada de pavo con la mitad
del perejil picado, y sal y pimienta al gusto.
A continuación formar 12 albóndigas. Calentar
el aceite en una sartén antiadherente grande
o una cazuela y freír las albóndigas 4-5 minutos,
moviendo la sartén de vez en cuando, hasta
que la carne esté bien dorada.
2 Añadir a la sartén las cebollas picadas, el ajo,
las zanahorias, las patatas y 300 ml de agua.
Llevar a ebullición, tapar y cocer a fuego bajo
durante 15 minutos.
3 Incorporar el pimentón dulce, la salsa de
tomate y la mitad del perejil restante. Llevar a
ebullición, tapar y cocer durante 10-15 minutos
más o hasta que las patatas y las zanahorias
estén tiernas. Salpimentar al gusto y espolvorear
con el resto del perejil para servir.

• Cada ración contiene: 330 kcal, 32 g de proteínas,
38 g de carbohidratos, 6 g de grasas, 1,5 g de grasas
saturadas, 6 g de fibra, 0 g de azúcar añadido,
0,38 g de sal.

Este plato tan rápido y sabroso combina también de maravilla con salmón. Cocínalo 3 minutos por cada lado y no le añadas el beicon.

Pollo con pasta y beicon

1 cucharada de aceite de oliva
2 pechugas de pollo deshuesadas
   y sin piel
100 g de beicon ahumado picado
4 cucharadas de vino blanco seco
100 g de guisantes congelados
5 cucharadas de nata para montar
250 g de pasta cocida (penne, por
   ejemplo)

10 minutos • 2 raciones

1 Calentar el aceite en una sartén antiadherente honda, añadir el pollo y esparcir por encima el beicon. Freír a fuego vivo durante 4 minutos.
2 Cocinar el pollo por el otro lado, remover el beicon, agregar el vino y dejar borbotear a fuego alto hasta que casi se haya evaporado. Añadir los guisantes, la nata y la pasta, salpimentar y mezclar bien. Tapar la sartén y dejar cocer 4 minutos, hasta que el pollo esté cocinado. Servir inmediatamente.

• Cada ración contiene: 639 kcal, 48 g de proteínas, 24 g de carbohidratos, 38 g de grasas, 17 g de grasas saturadas, 3 g de fibra, 0 g de azúcar añadido, 1,86 g de sal.

Una de las ventajas de cocinar con una sola cazuela consiste en poder tener la comida lista en el horno con mucha antelación y luego olvidarse de ella hasta la hora de servir.

Jamón fresco de York, alubias y naranja

250 g de alubias blancas remojadas durante una noche
2 naranjas
2 cucharadas de aceite de oliva
1 cebolla grande picada
2 ramas de apio picadas
450 g de jamón de York cortado en trozos grandes
1 cucharada de pimentón dulce
3 cucharadas de azúcar mascabado
1 cucharada de melaza
2 cucharadas de vinagre blanco
2-3 cucharadas de concentrado de tomate
4 clavos enteros

2½ horas, más una noche de remojo
• 4 raciones

1 Escurrir y aclarar las alubias. A continuación echarlas en una cazuela y verter medio litro de agua hirviendo. Llevar a ebullición, tapar y cocer a fuego lento durante 30 minutos.

2 Mientras, precalentar el horno a 180 °C. Rallar la piel de las naranjas; reservar. Calentar el aceite en una cacerola grande. Añadir la cebolla y el apio y freír durante 8 minutos removiendo de vez en cuando, hasta que la cebolla se dore. Añadir el jamón y el pimentón; remover durante 1 minuto. Incorporar la ralladura de naranja, el azúcar, la melaza, el vinagre, el concentrado de tomate y los clavos. Mezclar bien.

3 Echar las alubias y el líquido de cocción en la cacerola, tapar y cocer durante 1 hora. Quitar la tapa y cocinar durante una hora más. Pelar del todo las naranjas y cortar los gajos en trozos grandes. Incorporar a las alubias y salpimentar.

• Cada ración contiene: 493 kcal, 37 g de proteínas, 63 g de carbohidratos, 12 g de grasas, 3 g de grasas saturadas, 13 g de fibra, 19 g de azúcar añadido, 2,85 g de sal.

Puedes aprovechar cualquier verdura sobrante
para esta sencilla cena de fin de semana.

Guiso de salchichas y puerros con patatas

2 cucharadas de aceite de oliva
6 salchichas gruesas
6 patatas cortadas en rodajas finas
350 g de puerros cortados en rodajas
   finas (o brócoli, o col)
1 cucharada de salsa de rábano
   picante
100 g de queso cheddar curado
   o gruyère, rallado

30-35 minutos • 4 raciones

1 Calentar la mitad del aceite en una sartén de fondo grueso. Añadir las salchichas y sofreír durante 8-10 minutos hasta que se doren bien. Retirar las salchichas, cortarlas en rodajas en diagonal y reservarlas.

2 Añadir el resto del aceite. A fuego medio, añadir las patatas y los puerros; y removerlo todo bien. Cocer durante 15-20 minutos, hasta que las patatas y los puerros estén tiernos y empiecen a dorarse, removiendo de vez en cuando.

3 Incorporar las salchichas a la sartén junto con la salsa de rábano picante; calentar 2-3 minutos más. Retirar la sartén del fuego, espolvorear con el queso, salpimentar al gusto y mezclar con suavidad. Servir.

• Cada ración contiene: 534 kcal, 24 g de proteínas, 35 g de carbohidratos, 34 g de grasas, 13,5 g de grasas saturadas, 4 g de fibra, 0,3 g de azúcar añadido, 2,46 g de sal.

Si no te gusta el queso de cabra, prueba otros, como el taleggio, el brie curado, el dolcelatte o el queso Le Roulé.

Pollo al horno con tomillo

4 pechugas de pollo deshuesadas
   pero con piel
150 g de queso firme de cabra cortado
   en lonchas
un puñado de tomillo fresco
500 g de tomates cherry
aceite de oliva para rociar
un chorrito de vino blanco seco
pan francés o arroz cocido con azafrán
   para servir

35-40 minutos • 4 raciones

1 Precalentar el horno a 190 °C. Separar un poco la piel de las pechugas y rellenar con las lonchas de queso de cabra y un poco de tomillo. Poner en una fuente de horno poco honda.

2 Cortar por la mitad los tomates cherry y esparcirlos por encima del pollo con un poco más de tomillo, unas gotas de aceite de oliva y un chorrito de vino blanco. Salpimentar si se desea.

3 Hornear durante 25-30 minutos hasta que el pollo esté tierno y dorado. Servir con pan francés crujiente para untar en la salsa, o un poco de arroz cocido con azafrán.

• Cada ración contiene: 330 kcal, 40 g de proteínas, 5 g de carbohidratos, 16 g de grasas, 8 g de grasas saturadas, 1 g de fibra, 0 g de azúcar añadido, 1,24 g de sal.

El aceite de palma es un ingrediente habitual en la cocina africana, que añade a los platos un intenso color rojo.

Cordero en salsa palava

1 guindilla roja sin semillas y picada

1 trozo de 2,5 cm de jengibre fresco
pelado y picado

2 dientes de ajo pelados

1 cebolla, la mitad picada y la mitad
cortada en rodajas

1 cucharada de concentrado de
tomate

400 g de tomates en lata

6 cucharadas de aceite
de palma o vegetal

500 g de cordero magro cortado
en dados de unos 2,5 cm

300 ml de caldo de cordero, de pollo
o vegetal

200 g de hojas de espinacas frescas
troceadas

2 huevos batidos

1¼-1½ hora • 4 raciones

1 Triturar la guindilla, el jengibre, el ajo, la cebolla picada, el puré de tomate y los tomates en un robot de cocina hasta formar una salsa.

2 Calentar el aceite en una sartén grande y freír la cebolla en rodajas 2 minutos. Añadir el cordero y saltear a fuego bastante vivo 6-7 minutos, hasta que empiece a dorarse. Echar la salsa de tomate sobre el cordero y dejar borbotear 2-3 minutos. Incorporar el caldo, y añadir sal y pimienta al gusto. Tapar y cocer a fuego lento 40-50 minutos, removiendo de vez en cuando, hasta que el cordero esté tierno y la salsa espese.

3 Incorporar las espinacas a la salsa para que se ablanden y luego cocer con suavidad 2-3 minutos. Echar el huevo por encima y cocer lentamente otros 2 minutos, hasta que cuaje. Servir directo de la sartén.

• Cada ración contiene: 421 kcal, 32 g de proteínas, 3 g de carbohidratos, 31 g de grasas, 9 g de grasas saturadas, 1,5 g de fibra, 0 g de azúcar añadido, 0,6 g de sal.

El brócoli de tallos tiernos resulta ideal para este plato
ya que se hace enseguida. Si utilizas brócoli normal,
añade un par de minutos al tiempo de cocción.

Pollo con brócoli y limón

1 cucharada sopera de aceite
   de cacahuete o de girasol
350 g de tiras de pechuga de pollo
2 dientes de ajo fileteados
200 g de brócoli de tallos tiernos
   (cortar los tallos por la mitad si son
   demasiado largos)
200 ml de caldo de pollo
1 cucharadita colmada de harina
   de maíz
1 cucharada de miel clara o 2
   cucharaditas de azúcar moreno
   extrafino
la ralladura de ½ limón y el zumo
   de 1 limón
un puñado de anacardos tostados

15-25 minutos • 2 raciones abundantes

1 Calentar el aceite en una sartén grande
o un wok. Echar y dorar el pollo durante 3-4
minutos. Retirarlo de la sartén y añadir el ajo
y el brócoli. Saltear durante 1 minuto
aproximadamente. A continuación, tapar
y cocinar 2 minutos más, hasta que esté
bastante tierno.
2 Mezclar bien el caldo, la harina de maíz y
la miel o el azúcar, y luego verter en la sartén
y remover hasta que espese. Agregar el pollo
a la sartén y dejar que se caliente bien.
A continuación, añadir la ralladura y el zumo
de limón y los anacardos. Remover y luego
servir directamente.

• Cada ración contiene: 372 kcal, 48 g de proteínas,
15 g de carbohidratos, 13 g de grasas, 2 g de grasas
saturadas, 3 g de fibra, 6 g de azúcar añadido,
0,69 g de sal.

Este plato español se prepara en una cazuela honda para
que la salsa se ligue bien y se reduzca, mientras se cuece.

Pollo en salsa de ajo, hierbas y aceitunas

225 ml de aceite de oliva
2 pollos pequeños con piel, de 1,3 kg
    cada uno, cortados en 8 trozos
6 dientes de ajo pelados
1 cucharada de hojas de tomillo fresco
3 hojas de laurel
300 ml de vino blanco
12 aceitunas manzanilla
puré de patata y ensalada de escarola
    para servir

40 minutos aproximadamente
• 6 raciones

1 Calentar el aceite en una cazuela honda y
dorar el pollo por cada lado a temperatura alta
durante 5 minutos.
2 Agregar el ajo, el tomillo y las hojas de laurel,
y luego verter el vino —con cuidado porque
puede salpicar, por eso es importante poner la tapa
rápido—. Cocer a fuego lento, con la tapa, durante
15-20 minutos hasta que el pollo esté tierno. (La
mezcla del vino con el aceite hace que se produzca
una emulsión. Retirar la tapa cuidadosamente,
transcurridos 10 minutos, y no antes, para ver
si está cremosa. Si no lo está, retirar del fuego,
verter un poquito de agua caliente y volver a ponerlo
a fuego lento hasta terminar de cocinarlo).
3 Sazonar con sal, esparcir las aceitunas
y servir con puré de patatas y ensalada.

• Cada ración contiene: 908 kcal, 56,9 g de proteínas,
3,1 g de carbohidratos, 72,5 g de grasa, 16 g de grasas
saturadas, 0,4 g de fibra, 2,3 g de azúcar, 0,87 g de sal.

Es tan fácil preparar este clásico plato indio
que te encantará repetirlo a menudo.

Biryani de pollo

2 cucharadas de aceite vegetal
6 muslos de pollo grandes con piel
1 cebolla grande cortada en rodajas
   finas
2 cucharaditas de curry molido
   (picante si gusta, suave para platos
   de sabor menos intenso)
350 g de arroz de grano largo
   de cocción rápida
700 ml de caldo de pollo o vegetal
250 g de guisantes congelados

50-60 minutos • 6 raciones

1 Precalentar el horno a 200 °C. Calentar
el aceite en una sartén honda y freír los muslos
de pollo durante 8-10 minutos con
la piel hacia abajo, hasta que esté dorada
y crujiente. Agregar la cebolla y continuar friendo
otros 5 minutos, hasta que se ablande.
Espolvorear con el curry molido y cocinar 1
minuto más. Incorporar el arroz y verter
por encima el caldo. Llevar a ebullición.
2 Tapar la sartén y hornear durante 30 minutos,
hasta que se absorba todo el líquido y el arroz
esté hecho. Añadir los guisantes y dejar
que el arroz repose durante unos minutos antes
de servir.

• Cada ración contiene: 445 kcal, 32 g de proteínas,
57 g de carbohidratos, 12 g de grasas, 3 g de grasas
saturadas, 2 g de fibra, 0 g de azúcar añadido, 0,5 g
de sal.

Un plato único bajo en grasas que resulta perfecto para una comida familiar. Sírvelo con arroz ya cocido, ¡ganarás tiempo!

Estofado de solomillo de cerdo con manzana

500 g de solomillo de cerdo
1 cucharada de harina de trigo con
 una pizca de sal
2 cucharadas de aceite de oliva
1 cebolla picada
1 manzana ácida con piel, sin corazón
 y en medias lunas finas
300 ml de caldo de pollo o vegetal
2 hojas de laurel
1 cucharada de mostaza
 de Dijon
2 cucharadas de perejil

40-45 minutos • 4 raciones

1 Cortar la carne de cerdo en filetes transversales de 2 cm y enharinar. Calentar 1 cucharada de aceite en una sartén grande y freír la carne de cerdo en pequeñas cantidades. Luego retirar y reservar.
2 Freír la cebolla en el resto del aceite hasta que se ablande y se dore. Añadir la manzana y freír hasta que se caramelice ligeramente. Incorporar despacio el caldo, rascando el fondo de la sartén para que no queden restos.
3 Poner la carne de cerdo en la sartén; añadir las hojas de laurel y la mostaza. Llevar a ebullición y cocer a fuego suave 15-20 minutos, añadiendo un poco más de agua o caldo si es necesario. Incorporar el perejil y salpimentar al gusto antes de servir.

• Cada ración contiene: 248 kcal, 29 g de proteínas, 9 g de carbohidratos, 11 g de grasas, 2 g de grasas saturadas, 2 g de fibra, 0 g de azúcar añadido, 0,41 g de sal.

Si no encuentras todos los ingredientes de este curry en tu supermercado habitual, sin duda los hallarás en las tiendas de alimentos orientales.

Curry de pollo

1 cucharada de aceite
de girasol
1 cebolla roja cortada en rodajas finas
1 diente de ajo
2 cucharaditas de jengibre en polvo
½-1 cucharadita de guindillas picadas
200 g de tomates troceados de lata
250 g de pechugas de pollo
deshuesadas y sin piel, troceadas
2 cucharaditas de gujarati masala
o garam masala
3 cucharadas de yogur desnatado
1 manojo de hojas de cilantro picadas
pan naan con ajo y cilantro para servir

15 minutos • 2 raciones (fáciles
de duplicar)

1 Calentar el aceite en una cazuela, añadir la cebolla y freír hasta que tome color. Echar el ajo machacado, añadir el jengibre y las guindillas y cocinar brevemente. Agregar los tomates y la cuarta parte de una lata de agua y llevar a ebullición. Cocer a fuego lento durante 2 minutos, añadir el pollo y el masala, tapar y cocinar 5-6 minutos.
2 Bajar el fuego al mínimo y luego incorporar el yogur poco a poco. Espolvorear con cilantro; servir con pan naan con ajo y cilantro.

• Cada ración contiene: 252 kcal, 34 g de proteínas, 11 g de carbohidratos, 8 g de grasas, 1,3 g de grasas saturadas, 1,8 g de fibra, 0 g de azúcar añadido, 0,46 g de sal.

Un plato estupendo y contundente. Una ensalada verde,
ligeramente aliñada con aceite de oliva y zumo de limón,
es todo lo que necesitas para acompañarlo.

Chuletas de cerdo al romero con patatas

aceite de oliva para rociar
750 g de patatas nuevas, limpias
   y cortadas en rodajas
500 g de tomates de rama cortados
   en rodajas
las hojas muy picadas de 3 o 4 ramitas
   de romero
2 dientes de ajo picados
4 chuletas de cerdo
ensalada verde para servir

1¼-1½ hora • 4 raciones

1 Precalentar el horno a 200 °C. Rociar con
un poco de aceite de oliva la base de una fuente
de horno poco honda, que sea lo bastante
amplia para que quepan las chuletas en una
capa. Disponer primero en la fuente hileras de
patatas y tomates; salpimentar y espolvorear
con la mitad del romero y todo el ajo.
2 Echar un par de cucharadas más de aceite
de oliva sobre las verduras y hornear durante
30 minutos. Luego colocar las chuletas
de cerdo encima, salpimentar y espolvorear con
el resto del romero. Asar de nuevo en el horno
durante 35-45 minutos, hasta que la carne y las
patatas estén tiernas. Servir con una ensalada
verde.

• Cada ración contiene: 527 kcal, 25 g de proteínas,
35 g de carbohidratos, 33 g de grasas, 11 g de grasas
saturadas, 3 g de fibra, 0 g de azúcar añadido y 0,2 g
de sal.

El limón aporta un aroma intenso y peculiar a este exótico plato.

Pollo estilo marroquí al limón

1 kg de muslos de pollo deshuesados
y sin piel, cortados en lonchas

1 cebolla picada

3 dientes de ajo machacados

1 cucharada de condimento para arroz
pilaf

2 cucharadas de aceite de oliva

½ limón con la piel picada finamente

100 g de almendras enteras
escaldadas

150 g de aceitunas verdes (las que
tienen el hueso aportan mejor
sabor)

250 ml de caldo de pollo

1 buen manojo de cilantro o perejil
picado

40-45 minutos • 4 raciones

1 Poner el pollo con la cebolla, el ajo, el condimento para arroz y el aceite en una fuente apta para cocinar en microondas. Cocinar en el microondas a potencia alta durante 8 minutos, hasta que todo empiece a crepitar y el pollo comience a cambiar de color.

2 Echar el limón, las almendras y las aceitunas sobre el pollo. Verter el caldo y remover, manteniendo el pollo en una sola capa.

3 Tapar la fuente con film plástico, pinchar varias veces para dejar que salga el vapor e introducir otra vez en el microondas durante 20 minutos, hasta que el líquido borbotee con fuerza y el pollo esté hecho. Dejar que repose unos minutos antes de espolvorear con el cilantro o el perejil. Servir a continuación.

• Cada ración contiene: 488 kcal, 49 g de proteínas, 8 g de carbohidratos, 29 g de grasas, 5 g de grasas saturadas, 3 g de fibra, 0 g de azúcar añadido, 2,68 g de sal.

Las patatas ya cocidas y envasadas al vacío hacen de este plato
una opción ultrarrápida.

Estofado de salchichas al vino tinto

1 cucharada de aceite vegetal
6 salchichas gruesas de buena calidad
   con hierbas
un chorrito de vino tinto
175 ml de caldo vegetal
3 cucharadas de cebollas rojas
   caramelizadas
400 g de patatas ya cocidas
   y envasadas al vacío, cortadas
   en rodajas

25-35 minutos • 3 raciones

1 Calentar el aceite en una sartén mediana (una en la que las salchichas quepan justas). Incorporar las salchichas y freírlas 8-10 minutos, dándoles la vuelta a menudo. Precalentar el gratinador a temperatura alta. Echar un par de cucharadas de vino tinto, si se quiere, en la sartén, y luego verter el caldo e incorporar las cebollas rojas. Dejar que la mezcla borbotee durante 3-4 minutos, hasta que espese un poco y se convierta en una salsa. Retirar del fuego.
2 Extender las patatas de forma que cubran más o menos las salchichas y la salsa. Poner la sartén bajo el gratinador durante unos 8 minutos hasta que las patatas se vean crujientes y doradas. Servir muy caliente. No hace falta añadir condimento.

• Cada ración contiene: 578 kcal, 20 g de proteínas, 36 g de carbohidratos, 40 g de grasas, 14 g de grasas saturadas, 4 g de fibra, 1 g de azúcar añadido, 5,07 g de sal.

Si quieres, puedes dejar el pollo en adobo
en la nevera durante un día.

Muslos de pollo crujientes

8 muslos de pollo gruesos, con piel
2 limones
2 cucharadas de estragón fresco
    picado
2 cucharadas de aceite de oliva
750 g de patatas nuevas limpias
    y cortadas en gajos
2 cucharaditas de pimentón dulce
    o ahumado
ensalada verde para servir

45-55 minutos • 4 raciones

1 Precalentar el horno a 220°C. Hacer tres
cortes en la piel de cada muslo de pollo. Rallar
la piel de 1 limón y exprimir el zumo de ambos.
Mezclar en una fuente con el estragón, 1
cucharada de aceite y un poco de sal
y pimienta. Añadir el pollo y dar unas vueltas
para que se impregne de adobo.
2 Extender las patatas sobre la base de una
fuente para hornear. Echar el resto del aceite y
espolvorear con el pimentón. Colocar una rejilla
encima y disponer los trozos de pollo. Asar
durante 30-40 minutos, hasta que los muslos
estén bien dorados y las patatas tiernas. Servir
caliente con una ensalada verde.

• Cada ración contiene: 917 kcal, 64 g de proteínas,
32 g de carbohidratos, 60 g de grasas, 17 g de grasas
saturadas, 2 g de fibra, 0 g de azúcar añadido, 0,74 g
de sal.

Esta receta, de textura jugosa y aroma delicioso, es un plato muy popular. Si lo prefieres, puedes utilizar pollo y caldo de ave.

Pilaf de cordero a la turca

1 puñadito de piñones o de almendras
  fileteadas
1 cucharada de aceite de oliva
1 cebolla grande cortada por la mitad
  y luego en rodajas
2 ramas de canela partidas
  por la mitad
500 g de filete o pierna de cordero
  en dados
250 g de arroz basmati
1 cubito de caldo de cordero o vegetal
12 orejones de albaricoque
un puñado de hojas de menta picadas

25-30 minutos • 4 raciones

1 Tostar ligeramente los piñones o las almendras en una sartén grande y luego ponerlos en una fuente. Poner el aceite en la sartén; freír la cebolla con la canela hasta que empiece a dorarse. Subir el fuego, incorporar el cordero y freírlo hasta que la carne cambie de color. Echar el arroz y cocinar durante 1 minuto, removiendo sin cesar.
2 Verter medio litro de agua hirviendo, desmenuzar el cubito de caldo, añadir los orejones, tapar y cocer con suavidad durante 12 minutos, hasta que el arroz esté hecho y el caldo se haya absorbido. Echar los piñones y la menta y servir.

• Cada ración contiene: 584 kcal, 32 g de proteínas, 65 g de carbohidratos, 24 g de grasas, 9 g de grasas saturadas, 3 g de fibra, 0 g de azúcar añadido, 1,4 g de sal.

Si puedes, utiliza un buen aceite para saltear que lleve jengibre, ajo y especias. Darás en el clavo.

Cerdo con especias y verduras salteadas

1 cucharada de aceite para saltear
o vegetal

250 g de escalopes de cerdo cortados
en tiras finas

1 manojo de cebollas tiernas limpias
y cortadas en rodajas

175 g de brócoli partido en floretes
pequeños del tamaño de un bocado

3 ramas de apio cortadas en rodajas

2 manojos de pak choy en hojas
separadas

2 cucharadas de cilantro fresco picado

la ralladura y el zumo de 1 lima

unas tiras finas de guindilla roja o un
chorrito de salsa de guindilla dulce

20-30 minutos • 2 raciones (fáciles
de duplicar)

1 Calentar el aceite en un wok o una sartén grande, añadir la carne de cerdo y saltear durante 3-4 minutos. Incorporar las cebollas tiernas, el brócoli y el apio; y saltear a fuego vivo durante 4 minutos más.

2 Añadir el pak choy y cocinar brevemente, hasta que las hojas se ablanden. Agregar el cilantro y la ralladura de lima, exprimir un poco de zumo de lima y añadir las tiras o la salsa de guindilla. Salpimentar y servir enseguida.

• Cada ración contiene: 260 kcal, 34 g de proteínas, 5 g de carbohidratos, 12 g de grasas, 2,3 g de grasas saturadas, 3,7 g de fibra, 0 g de azúcar añadido, 0,59 g de sal.

Transforma las socorridas pechugas de pollo en algo especial.
Por si fuera poco, este plato incorpora saludables verduras.

Pollo asado con tubérculos

1 apio nabo pequeño, pelado
   y cortado en trozos de 2,5 cm
400 g de colinabo pelado y cortado
   en trozos de 2,5 cm
2 boniatos grandes limpios y cortados
   en trozos de 2,5 cm
2 chirivías medianas, limpias
   y cortadas en cuartos a lo largo
2 dientes de ajo grandes, fileteados
2 cucharadas de aceite de oliva
½ cucharadita de comino
unas hojas de salvia
4 pechugas de pollo deshuesadas
   y sin piel, de unos 150 g cada una
4 lonchas de jamón serrano

1¼-1½ hora • 4 raciones

1 Precalentar el horno a 200 ℃. Poner el apio
nabo, el colinabo, el boniato, las chirivías y el ajo
en una fuente para hornear grande. Echar por
encima el aceite de oliva y el comino, y
salpimentar. Darles unas vueltas a las verduras
para que se impregnen ligeramente de aceite.
Meter en el horno bastante arriba y asar 30
minutos.
2 Mientras tanto, poner un par de hojas de
salvia sobre cada pechuga de pollo y luego
envolver cada una en una loncha de jamón.
3 Sacar la fuente del horno y darles la vuelta
a las verduras. Disponer el pollo encima. Asar
durante 30-35 minutos más, hasta que las
verduras estén tiernas y el pollo esté hecho.

• Cada ración contiene: 420 kcal, 43 g de proteínas,
39 g de carbohidratos, 12 g de grasas, 2 g de grasas
saturadas, 12 g de fibra, 0 g de azúcar añadido,
1,11 g de sal.

Una receta perfecta para preparar una comida rápida
después del trabajo. Además, resulta muy fácil duplicar o triplicar
las cantidades si tienes muchos invitados.

Sartén de salchichas y legumbres

1 cucharada de aceite vegetal

450 g de salchichas de buena calidad
  cortadas en tres trozos

1 cebolla pequeña picada

3 zanahorias en rodajas gruesas

4 ramas de apio cortadas en trozos
  grandes (picar las hojas)

800 g de legumbres variadas cocidas

400 ml de caldo de pollo o vegetal

1-2 cucharadas de mostaza de Dijon

1 puñadito de perejil picado

pan crujiente para servir

35-45 minutos • 4 raciones

1 Calentar el aceite a fuego bastante vivo en
una sartén amplia y poco honda que tenga tapa.
Disponer en la sartén los trozos de salchicha y
saltearlos durante 5 minutos, removiendo de vez
en cuando, hasta que adquieran un ligero color
tostado por todos sus lados.

2 Echar la cebolla, las zanahorias y el apio (no
las hojas) y cocinar durante 5 minutos, hasta
que la cebolla quede transparente. Incorporar
las legumbres y mezclar bien. A continuación,
verter el caldo y llevar a ebullición, removiendo.

3 Agregar la mostaza y el perejil más las hojas
de apio picadas, y luego salpimentar al gusto.
Servir caliente, con trozos de pan crujiente
para untar en la salsa.

• Cada ración contiene: 479 kcal, 26 g de proteínas,
38 g de carbohidratos, 26 g de grasas, 8 g de grasas
saturadas, 10 g de fibra, 0 g de azúcar añadido, 3,7 g
de sal.

Un plato saludable y delicioso, lo bastante bueno para
que apetezca comerlo a diario.

Guiso de pollo y verduras al estragón

2 pechugas de pollo con piel

1 cucharada de aceite de oliva

200 g de patatitas nuevas limpias
   y cortadas en rodajas finas

500 ml de caldo de pollo

200 g de verduras primaverales
   variadas (brócoli, guisantes, habas
   y calabacín cortado en rodajas)

2 cucharadas de *crème fraîche*

un puñado de hojas picadas de
   estragón fresco o ½ cucharadita
   de estragón seco

25-30 minutos • 2 raciones

1 Freír el pollo en una sartén grande durante 5
minutos por cada lado. Agregar las patatas
y remover para impregnarlas de aceite. Verter
el caldo, tapar y cocer a fuego lento durante 10
minutos, hasta que las patatas estén casi
hechas.

2 Quitar la tapa y subir el fuego. Dejar que
el caldo se evapore hasta cubrir solo el fondo
de la sartén. Esparcir las verduras en la sartén,
volver a tapar y cocinar durante unos 3 minutos.

3 Incorporar la *crème fraîche* para obtener una
salsa cremosa; salpimentar al gusto y luego
añadir el estragón. Servir directamente de la
sartén.

• Cada ración contiene: 386 kcal, 38 g de proteínas,
23 g de carbohidratos, 16 g de grasas, 6 g de grasas
saturadas, 3 g de fibra, 0 g de azúcar añadido, 1,5 g
de sal.

Consigue tu dosis de proteínas con este plato completo.

Chuletas de cerdo y patatas asadas con queso a la mostaza

1 kg de patatas peladas y cortadas en rodajas gruesas
1 cebolla cortada en rodajas finas
un poco de sidra, vino, agua o caldo
2 cucharadas de aceite de oliva
4 chuletas de cerdo de unos 175 g cada una
100 g de queso cheddar rallado
1 cucharada de mostaza de Dijon
3 cucharadas de leche

1-1¼ hora • 4 raciones

1 Precalentar el horno a 230 °C. Echar las patatas, la cebolla, el líquido y el aceite en una cazuela honda y grande. Salpimentar al gusto y luego hornear durante 20-30 minutos, hasta que las patatas empiecen a dorarse. Poner las chuletas encima y cocinar 10 minutos más.
2 Mezclar el queso, la mostaza y la leche. Cuando las chuletas lleven 10 minutos en el horno, extender la mezcla de queso por encima y encender el gratinador. Poner la cazuela bajo el gratinador y tostar durante unos 5 minutos hasta que el queso borbotee y las patatas estén doradas y crujientes. Servir directamente.

• Cada ración contiene: 580 kcal, 42 g de proteínas, 40 g de carbohidratos, 32 g de grasas, 14 g de grasas saturadas, 5 g de fibra, 0 g de azúcar añadido, 1,6 g de sal.

Con solo cinco ingredientes, esta comida es fantástica
para después del trabajo.

Pollo al horno estilo pizza

2 pechugas pequeñas deshuesadas
   y sin piel
1 cucharada de aceite de oliva
50 g de queso cheddar rallado
4 tomates cherry cortados en cuartos
2 cucharaditas de pesto
ensalada verde para servir

10-15 minutos • 2 raciones (fáciles
de reducir a la mitad o de duplicar)

1 Precalentar el gratinador a temperatura alta.
Envolver el pollo en film plástico o ponerlo entre 2
bolsas de plástico para alimentos y darle unos
golpes firmes con un rodillo o el fondo de una
cacerola para aplanarlo. Calentar el aceite en
una sartén antiadherente, añadir el pollo y freír 2
minutos por cada lado hasta que se dore.
2 Mientras el pollo se fríe, mezclar el queso
y los tomates. Retirar el pollo y limpiar la sartén
con papel de cocina. Poner el pollo en la sartén,
untar cada pechuga con una cucharadita de
pesto, y luego colocar el queso y los tomates
encima.
3 Poner bajo el gratinador caliente durante un
minuto aproximadamente (proteger el mango con
papel de aluminio, si es necesario), hasta que el
queso se funda. Servir con una ensalada verde.

• Cada ración contiene: 315 kcal, 37 g de proteínas,
1 g de carbohidratos, 18 g de grasas, 8 g de grasas
saturadas, 0 g de fibra, 0 g de azúcar añadido, 0,68 g
de sal.

El hígado resulta perfecto para una comida de entre semana, pues se prepara en un momento. Combínalo con una mezcla de verduras para obtener un plato rebosante de sabores.

Salteado de hígado con pimientos rojos

1 cucharada de aceite de oliva

200 g de hígado de cordero cortado en tiras

1 puerro cortado en diagonal

1 pimiento rojo sin semillas y cortado en cuadrados

1 guindilla roja sin semillas finamente picada

1 cucharadita de orégano seco

1 diente de ajo machacado

100 g de hojas tiernas de col cortadas en tiras finas

la ralladura de 1 naranja y 2 cucharadas de zumo

2 cucharadas de jerez semiseco

25-35 minutos • 2 raciones

1 Calentar 1 cucharada de aceite en una sartén antiadherente grande. Añadir el hígado y saltear a fuego moderadamente alto durante 3 minutos, hasta que se dore un poco (si se cocina más tiempo, el hígado queda correoso). Retirar en un plato, dejando el jugo en la sartén.

2 Echar el ajo, el pimiento rojo y la guindilla en la sartén con el resto del aceite y saltear a fuego vivo durante 2 minutos. Añadir el orégano, el ajo y las hojas de col; saltear unos 30 segundos, hasta que la col se ablande y adquiera un bonito color verde intenso.

3 Incorporar el hígado a la sartén, añadir la ralladura y el zumo de naranja y el jerez. A continuación salpimentar. Mezclarlo todo a fuego vivo y servir enseguida.

• Cada ración contiene: 287 kcal, 27 g de proteínas, 11 g de carbohidratos, 14 g de grasas, 3 g de grasas saturadas, 4 g de fibra, 0 g de azúcar añadido, 0,26 g de sal.

Con este plato de fiesta bajo en grasas, puedes asegurarte
de que tu familia se mantiene sana.

Estofado de cerdo con hinojo

1 cucharada de aceite de oliva
500 g de solomillo de cerdo cortado
   en trozos
1 cebolla grande picada
3 dientes de ajo machacados
800 g de tomate troceado en lata
2 cucharadas de concentrado
   de tomate
½ cucharadita de azúcar refinado
200 ml de caldo vegetal
1 bulbo grande de hinojo
la ralladura de 1 limón

1¼-1½ hora • 4 raciones

1 Calentar 1 cucharadita de aceite en una sartén
o cazuela grande. Dorar la carne de cerdo por
todos lados (mejor hacerlo en varias veces). Sacar
de la sartén con una espumadera y reservar.
Agregar el resto del aceite y la cebolla. Cocinar
a fuego lento, removiendo de vez en cuando,
durante 5-6 minutos, hasta que la cebolla esté
blanda. Incorporar el ajo, los tomates, el
concentrado de tomate, el azúcar, el caldo
y la carne de cerdo, y luego salpimentar.
Llevar a ebullición.
2 Retirar las hojas del hinojo, picarlas y reservar.
Cortar el bulbo en medias lunas finas e incorporar
a la sartén, procurando que lo cubra la salsa.
Bajar el fuego y cocer durante 35-40 minutos con
la tapa puesta, hasta que los ingredientes estén
tiernos. Incorporar la ralladura de limón, decorar
con las hojas de hinojo picadas y servir.

• Cada ración contiene: 242 kcal, 31 g de proteínas,
12 g de carbohidratos, 8 g de grasas, 2 g de grasas
saturadas, 4 g de fibra, 1 g de azúcar añadido, 0,83 g
de sal.

Cocina en el horno este sencillo risotto con ingredientes de tu despensa mientras te dedicas a otra cosa. El resultado seguirá siendo maravillosamente cremoso.

Risotto de beicon y tomate al horno

250 g de beicon ahumado cortado en trozos pequeños
1 cebolla picada
25 g de mantequilla
300 g de arroz para risotto
½ vaso de vino blanco (opcional)
150 g de tomates cherry cortados por la mitad
700 ml de caldo de pollo (puede ser de cubito)
50 g de queso parmesano rallado

30-35 minutos • 4 raciones

1 Calentar el horno a 200 °C. Freír los trozos de beicon en una sartén o cazuela apta para hornear durante 3-5 minutos, hasta que estén dorados y crujientes. Incorporar la cebolla con la mantequilla y cocinar 3-4 minutos, hasta que se ablande. Echar el arroz y mezclar bien. Verter el vino, si se utiliza, y cocer durante 2 minutos, hasta que se absorba.

2 Añadir los tomates cherry y el caldo caliente, y luego remover rápidamente el arroz. Cubrir con una tapa que encaje bien y hornear durante 18 minutos, hasta que esté en su punto.

3 Agregar mezclando la mayor parte del parmesano y servir espolvoreado con el resto.

• Cada ración contiene: 517 kcal, 22 g de proteínas, 63 g de carbohidratos, 20 g de grasas, 10 g de grasas saturadas, 2 g de fibra, 0 g de azúcar añadido, 3,38 g de sal.

Los platos únicos acostumbran a ser sanos además de sencillos.
Esta receta fácil de pescado demuestra que reducir la grasa
no significa reducir el sabor.

Merluza en salsa de tomate y albahaca

1 cucharada de aceite de oliva
1 cebolla cortada en rodajas finas
1 berenjena picada, de unos 250 g
½ cucharadita de pimentón dulce
2 dientes de ajo machacados
400 g de tomates en lata
1 cucharadita de azúcar mascabado
8 hojas grandes de albahaca y un
   poco más para echar por encima
4 filetes sin piel de 175 g de pescado
   blanco de carne firme (merluza, por
   ejemplo)
ensalada y pan crujiente para servir

40-50 minutos • 4 raciones

1 Calentar el aceite en una sartén antiadherente grande y saltear la cebolla y la berenjena durante unos 4 minutos, hasta que empiecen a dorarse. Cubrir con una tapa y dejar que las verduras se sofrían en su propio líquido durante 6 minutos (eso ayuda a ablandarlas sin tener que añadir más aceite).

2 Agregar el pimentón, los ajos, los tomates, el azúcar y ½ cucharadita de sal; durante 8-10 minutos, removiendo a menudo, hasta que las verduras estén tiernas.

3 Esparcir las hojas de albahaca y luego introducir el pescado de manera que la salsa lo cubra. Tapar y cocinar 6-8 minutos, hasta que el pescado se desmenuce con facilidad al pincharlo con un tenedor. Adornar con el resto de la albahaca y servir con una ensalada y pan crujiente.

• Cada ración contiene: 212 kcal, 36 g de proteínas, 8 g de carbohidratos, 4 g de grasas, 1 g de grasas saturadas, 3 g de fibra, 1 g de azúcar añadido, 0,5 g de sal.

Para que todos los ingredientes queden en su punto, deberás respetar los tiempos de cocción en el microondas.

Pescado con arroz y puerros al limón

1 puerro cortado en rodajas finas
100 g de beicon ahumado picado
500 ml de caldo vegetal
300 g de arroz de cocción rápida
500 g de filetes de bacalao o merluza
  sin piel y cortados en trozos
  grandes
3 cucharadas de perejil picado
la ralladura y el zumo de 1 limón

20-30 minutos • 4 raciones

1 Poner el puerro y el beicon en una fuente mediana apta para cocinar en microondas con 4 cucharadas de caldo. Cubrir la fuente con film plástico, perforar este con un cuchillo y cocinar en el microondas a potencia alta durante 5 minutos.
2 Destapar la fuente e incorporar el arroz y el resto del caldo al puerro y el beicon. Meter la fuente en el microondas a potencia alta 5 minutos más.
3 Incorporar con cuidado los trozos de pescado, cubrir la fuente de nuevo con film plástico, perforar este y cocinar durante 10 minutos más, hasta que el pescado y el arroz estén hechos.
4 Incorporar el perejil y la ralladura y el zumo de limón. Dejar que repose durante 2-3 minutos antes de servir.

• Cada ración contiene: 437 kcal, 35 g de proteínas, 66 g de carbohidratos, 6 g de grasas, 1 g de grasas saturadas, 1 g de fibra, 0 g de azúcar añadido, 1,8 g de sal.

Si lo prefieres, puedes utilizar pollo troceado y cocido
en lugar de gambas.

Pilaf de gambas

2 cucharadas de pasta
   de curry suave (tipo korma)
1 cebolla pequeña picada finamente
300 g de arroz basmati
700 ml de caldo de pollo
150 g de gambas cocidas y peladas
1 taza de guisantes congelados
1 guindilla roja cortada en aros
1 manojo de hojas de cilantro picadas
gajos de limón para servir

25-30 minutos • 4 raciones

1 Calentar una sartén grande y tostar la pasta
de curry con la cebolla durante 4-5 minutos,
hasta que la cebolla empiece a ablandarse.
Añadir el arroz a la sartén y remover para
que quede bien cubierto por la pasta de curry.
Añadir el caldo y luego llevar a ebullición.
2 Tapar la sartén y bajar el fuego. Dejar que
el arroz cueza despacio durante 12-15 minutos,
hasta que esté hecho y se absorba el líquido.
Apagar el fuego e incorporar las gambas, los
guisantes y la guindilla. Tapar la sartén y dejar
que repose todo durante 5 minutos.
3 Remover los granos de arroz con un tenedor
y salpimentar si se desea. Esparcir por encima
el cilantro y servir con gajos de limón.

• Cada ración contiene: 340 kcal, 18 g de proteínas,
65 g de carbohidratos, 3 g de grasas, 1 g de grasas
saturadas, 2 g de fibra, 0 g de azúcar añadido, 2,38 g
de sal.

Este plato es delicioso y una forma diferente de preparar
el pescado blanco.

Pescado con cobertura
de parmesano

50 g de pan recién rallado
la ralladura y el zumo de 1 limón
25 g de queso parmesano rallado
2 cucharadas de perejil
4 filetes sin piel de pescado blanco de
    carne firme (bacalao o merluza, por
    ejemplo)
2 cucharadas de aceite de oliva
50 g de mantequilla

20-30 minutos • 4 raciones

1 Precalentar el gratinador a temperatura alta.
Mezclar el pan rallado con la ralladura de limón,
el parmesano, el perejil y sal y pimienta al gusto.
Sazonar el pescado.
2 Calentar el aceite en una sartén. Añadir el
pescado, con la piel hacia abajo, y freír durante
2-3 minutos hasta que la carne se desmenuce
fácilmente con un tenedor. Darle la vuelta al
pescado y espolvorear por encima la mezcla de
pan rallado. A continuación poner la sartén bajo
el gratinador caliente y tostar la cobertura
de los filetes durante 2-3 minutos. Añadir la
mantequilla a la sartén en trozos, verter el zumo
de limón y dejar que la mantequilla se funda
alrededor del pescado.
3 Servir el pescado con la mantequilla
aromatizada al limón por encima.

• Cada ración contiene: 334 kcal, 31 g de proteínas,
10 g de carbohidratos, 19 g de grasas, 8,6 g de grasas
saturadas, 0,4 g de fibra, 0 g de azúcar añadido, 0,78 g
de sal.

La angostura es un aromatizante de sabor amargo que se emplea en platos y cócteles, elaborado con una mezcla secreta de hierbas y especias.

Guiso caribeño de pescado

la ralladura y el zumo de 1 lima

2 filetes de 175-200 g cada uno
de pescado blanco sin piel (bacalao
o merluza, por ejemplo)

el zumo de 2 limones

30 g de tomillo fresco con las hojas
separadas de los tallos

1 cucharada de ron

3 cucharadas de aceite vegetal

1 cebolla cortada en aros

1 manojo de cilantro picado

2 dientes de ajo picados

1 tomate grande o 3 normales
en rodajas

2 cucharaditas de azúcar mascabado

un chorrito de angostura (opcional)

1 lima cortada por la mitad para servir

30-40 minutos, más el marinado opcional
• 2 raciones

1 Extender la ralladura y el zumo de lima sobre la base de una fuente de vidrio o cerámica. Colocar el pescado y verter el zumo de limón. En un almirez, hacer una pasta con las hojas de tomillo, ¼ de cucharadita de pimienta blanca y una pizca de sal. Frotar el pescado con la pasta y regar con el ron. Tapar y marinar durante 1 hora a temperatura ambiente, si se tiene tiempo.

2 Calentar el aceite en una sartén y freír la cebolla 4-5 minutos, hasta que se ablande. Incorporar el cilantro, el ajo, el tomate y el azúcar, y cocinar durante 3-4 minutos.

3 Poner el pescado y su marinado en la sartén, agregar 3 cucharadas de agua y el chorrito de angostura, si se desea. Tapar y cocer despacio durante 6-8 minutos, hasta que el pescado se desmenuce fácilmente con un tenedor. Salpimentar y servir con la lima cortada por la mitad.

• Cada ración contiene: 388 kcal, 35 g de proteínas, 17 g de carbohidratos, 19 g de grasas, 2 g de grasas saturadas, 2 g de fibra, 5 g de azúcar añadido y 0,31 g de sal.

Un plato ligero y aromático hecho con ingredientes
que no te costará encontrar.

Fideos chinos con gambas y guindilla

2 cucharadas de aceite de oliva

1 cebolla picada

1 cucharada colmada de puré de
  cilantro (preparado)

1 pizca de guindilla en escamas

400 g de tomates en conserva

1 cucharada de concentrado de
  tomate

1 cucharada de caldo vegetal en polvo

150 g de fideos chinos cocidos al
  dente

400 g de gambas congeladas

azúcar (opcional)

30-40 minutos • 4 raciones

1 Calentar el aceite en un wok o una sartén
honda. Echar la cebolla, el puré de cilantro y la
guindilla, al gusto (mejor ser prudente). Saltear 5
minutos, hasta que la cebolla esté blanda.

2 Agregar los tomates y un poco más de ½ litro
de agua caliente, añadir el concentrado de tomate
y espolvorear con el caldo en polvo. Salpimentar.
Llevar a ebullición removiendo. Bajar el fuego
y dejar que la salsa cueza con suavidad unos
15 minutos, hasta que se reduzca un poco sin
dejar de ser fluida.

3 Cuando la salsa esté lista, agregar los fideos y
las gambas. Mezclar bien y volver a poner sobre
el fuego durante solo 2 minutos, lo justo para
descongelar las gambas y calentar los fideos.
Rectificar de sal antes de servir, y añadir más
guindilla y un poco de azúcar si se desea.

• Cada ración contiene: 228 kcal, 22 g de proteínas,
18 g de carbohidratos, 8 g de grasas, 0,8 g de grasas
saturadas, 2,1 g de fibra, 0 g de azúcar añadido
y 2,95 g de sal.

Prepara una cena rápida que te satisfará. Incorpora alcaparras, aceitunas o pimientos para obtener un sabor ligeramente distinto.

Pescado con chorizo y alubias blancas

400 g de alubias blancas cocidas
3 cucharadas de aceite de oliva
mezclado con un poco de zumo
de limón
2 puñados de hojas de perejil picadas
100 g de chorizo sin piel y cortado
en trozos pequeños
2 filetes sin piel de 175 g cada uno
de pescado blanco (merluza, por
ejemplo)

10-15 minutos • 2 raciones

1 Poner las alubias en una fuente poco honda apta para cocinar en microondas. Incorporar la mitad del aceite con limón, la mitad del perejil y todo el chorizo. Cubrir con los filetes de pescado y el resto del aceite. Tapar la fuente con film plástico y perforar unas cuantas veces. Cocinar en el microondas a potencia alta 4-5 minutos, hasta que el pescado se vea mate y se desmenuce con facilidad.
2 Sacar de la fuente el pescado. Mezclar las alubias y el chorizo; colocar en los platos. Cubrir con el pescado y esparcir por encima el resto del perejil.

• Cada ración contiene: 523 kcal, 48 g de proteínas, 17 g de carbohidratos, 30 g de grasas, 7 g de grasas saturadas, 6 g de fibra, 0 g de azúcar añadido, 2 g de sal.

Prepara una sabrosa cena de inspiración sueca
con ingredientes fáciles de encontrar.

Salmón ahumado al horno con apio nabo

el zumo de 1 limón

1 apio nabo pequeño, de unos 650 g

2 patatas medianas

250 g de salmón ahumado cortado
en lonchas

1 puñadito de eneldo picado

1 cebolla cortada en rodajas finas

300 ml de nata para montar

2 horas aproximadamente • 6 raciones

1 Precalentar el horno a 200 °C. Verter el zumo de limón en un cuenco grande. Pelar el apio nabo. Cortarlo en cuartos y luego en rodajas del grosor de una moneda. Echarlo en el cuenco. Pelar y cortar las patatas en rodajas finas y ponerlas en el cuenco.

2 Colocar en capas el apio nabo, las patatas y las lonchas de salmón en una fuente de horno grande, echando eneldo, cebolla y nata sobre cada capa; ir salpimentando. Deben quedar 3 capas de verduras con 2 capas de salmón, cebolla y eneldo. Terminar con la nata restante.

3 Tapar la fuente con papel de aluminio, y hornear 45 minutos. Retirar el aluminio y hornear 30-40 minutos más; las verduras han de estar tiernas, y la superficie, dorada. Dejar que se enfríe un poco antes de servir.

• Cada ración contiene: 328 kcal, 14 g de proteínas, 13 g de carbohidratos, 25 g de grasas, 15 g de grasas saturadas, 3 g de fibra, 0 g de azúcar añadido, 2,19 g de sal.

Deja entrar en tu casa los sabores frescos del Mediterráneo
con este delicioso plato único.

Pescado al horno al estilo italiano

4 filetes con piel de pescado blanco
    de carne firme (bacalao o merluza,
    por ejemplo)
1 cucharada de aceite de oliva más
    un poco para rociar
500 g de tomates cherry cortados
    por la mitad
50 g de aceitunas negras deshuesadas
    cortadas por la mitad
25 g de piñones
un buen puñado de hojas de albahaca

25-30 minutos • 4 raciones

1 Precalentar el horno a 200 °C. Salpimentar
el pescado. Calentar el aceite en una fuente para
asar, honda y grande apta también para el fuego.
Cocinar los filetes, con la piel hacia abajo,
durante 2-3 minutos o hasta que estén
crujientes.
2 Disponer los tomates, las aceitunas y
los piñones alrededor del pescado, sazonar
y hornear 12-15 minutos hasta que el pescado
se desmenuce fácilmente con un tenedor.
Echar las hojas de albahaca por encima
y rociar con aceite de oliva antes de servir.

• Cada ración contiene: 242 kcal, 30 g de proteínas,
4 g de carbohidratos, 12 g de grasas, 1,5 g de grasas
saturadas, 1,7 g de fibra, 0 g de azúcar añadido,
0,99 g de sal.

Si te gusta la comida picante, te encantará este curry cremoso
tan especial, con su sabor a coco.

Curry de langostinos en salsa de coco

2 guindillas rojas sin semillas y
cortadas en cuartos a lo largo

1 cebolla roja pequeña picada

un trozo de 2,5 cm de jengibre fresco
picado

1 cucharada de aceite vegetal

1 cucharadita de semillas de mostaza
negra

½ cucharadita de semillas de fenogreco

14 hojas de curry frescas o secas

½ cucharadita de cúrcuma

½ cucharadita de granos de pimienta
negra machacados

150 ml de leche de coco baja en grasa

250 g de langostinos jumbo cocidos
y pelados, algunos con la cola

PARA SERVIR

un chorrito de zumo de lima

cilantro fresco picado más ramitas

25-35 minutos • 2 raciones

1 En un robot de cocina, procesar las guindillas,
la cebolla y el jengibre con 3 cucharadas de
agua.

2 Calentar el aceite en una cacerola poco
honda o wok. Echar las semillas de mostaza
y fenogreco y las hojas de curry; freír 10
segundos. Añadir la mezcla de cebolla, bajar el
fuego y cocinar sin dorar unos 5 minutos. Echar
un poco de agua si queda demasiado espesa.

3 Añadir la cúrcuma y los granos de pimienta;
remover. Verter la leche de coco y llevar a ebullición
suave, removiendo sin cesar. Bajar el fuego y añadir
los langostinos. Cocer 1-2 minutos, hasta que se
calienten bien. Rociar con un poco de zumo de
lima y espolvorear con cilantro antes de servir.

• Cada ración contiene: 294 kcal, 31 g de proteínas,
8 g de carbohidratos, 16 g de grasas, 8 g de grasas
saturadas, 0 g de fibra, 0 g de azúcar añadido, 2,76 g
de sal.

Los mejillones frescos se preparan de forma muy rápida y sencilla.
Sirve este plato con pan para untar en el delicioso jugo.

Mejillones a la crema picante

2 kg de mejillones frescos
150 ml de vino blanco seco
2 chalotas picadas finamente
25 g de mantequilla
1 cucharadita de harina de trigo
1-2 cucharaditas de pasta de curry
100 g de *crème fraîche*
perejil picado para servir

35 minutos • 4 raciones

1 Poner los mejillones ya limpios en una cazuela con el vino. Llevar a ebullición, tapar y mover la cazuela a fuego vivo hasta que se abran los mejillones, unos 3-4 minutos.
2 Colar y tamizar el líquido de los mejillones. Reservar. Desechar los mejillones que no se hayan abierto. Mantener calientes los demás.
3 Freír las chalotas con la mantequilla en la cazuela hasta que se ablanden. Agregar la harina y la pasta de curry; cocinar 1 minuto. Añadir el líquido de cocción, sin impurezas, y condimentar solo con pimienta.
4 Incorporar la *crème fraîche* y espesar a fuego lento. Repartir los mejillones en cuatro cuencos y verter la salsa por encima. Espolvorear con perejil y servir.

• Cada ración contiene: 285 kcal, 19 g de proteínas, 6 g de carbohidratos, 18 g de grasas, 10 g de grasas saturadas, 1 g de fibra, 0 g de azúcar añadido, 1,27 g de sal.

Los risottos son platos únicos perfectos para hacer en el microondas. Además, como no tendrás que remover, podrás aprovechar el tiempo y hacer otra cosa.

Risotto con marisco

1 cebolla picada finamente
1 bulbo de hinojo cortado en rodajas finas
1 cucharada de aceite de oliva
300 g de arroz para risotto
500 ml de caldo de pescado o vegetal
300 g de marisco variado congelado
100 g de guisantes congelados
3 cucharadas de queso parmesano rallado
la ralladura y el zumo de 1 limón
un puñado de hojas de perejil picadas

25-35 minutos • 4 raciones

1 Echar la cebolla y el hinojo en un cuenco grande apto para el microondas, agregar el aceite y cocinar a potencia alta durante 5 minutos. Incorporar el arroz, verter el caldo y tapar el cuenco con un plato. Cocinar a potencia alta durante 10-15 minutos más o hasta que esté casi a punto el arroz.
2 Incorporar el marisco y los guisantes, tapar y continuar cocinando en el microondas a potencia alta durante 2-3 minutos, hasta que el arroz esté hecho. Agregar el parmesano y el zumo de limón, y dejar que el arroz repose durante un par de minutos. Mientras, mezclar el perejil con la ralladura de limón. Poner el risotto en cuencos y echar por encima el perejil con la ralladura de limón. Servir.

• Cada ración contiene: 419 kcal, 29 g de proteínas, 64 g de carbohidratos, 7 g de grasas, 2 g de grasas saturadas, 4 g de fibra, 0 g de azúcar añadido, 1,16 g de sal.

También puedes utilizar salmón para este plato
tan equilibrado como sabroso.

Bacalao de verano

250 g de pimientos asados variados,
  aderezados con hierbas
250 g de patatas nuevas limpias
  y cortadas en rodajas gruesas
1 cebolla roja cortada en trozos
150 g de judías verdes sin las puntas
  y cortadas por la mitad a lo ancho
2 filetes de bacalao con piel, de 175 g
  cada uno
½ limón
pan crujiente para servir

15-20 minutos • 2 raciones

1 Verter el aceite con el que se han asado
los pimientos en una sartén honda. Añadir más,
si es necesario. Calentar el aceite hasta que
borbotee. Incorporar las patatas y la cebolla.
Freír 5 minutos removiendo de vez en cuando,
hasta que las patatas empiecen a dorarse.
2 Sacar la mayor parte del aceite de la sartén,
dejando más o menos 1 cucharada. Echar las
judías y los pimientos escurridos, salpimentar y
remover. Colocar el pescado, con la piel hacia
abajo, encima de las verduras.
3 Tapar la sartén y cocinar a fuego medio 5
minutos, hasta que el pescado se desmenuce
fácilmente con un tenedor y las verduras estén
tiernas. Exprimir el medio limón sobre el pescado
y servir con pan crujiente para untar.

• Cada ración contiene: 337 kcal, 37 g de proteínas,
32 g de carbohidratos, 8 g de grasas, 1 g de grasas
saturadas, 5 g de fibra, 0 g de azúcar añadido, 0,48 g
de sal.

Con solo cinco ingredientes y tres simples pasos, es uno de los platos de pescado más sencillos del mundo. Y queda muy, muy sabroso.

Abadejo a la crema con patatas

400 g de abadejo ahumado sin piel y cortado en trozos grandes (puede sustituirse por bacalao ahumado)
1 puerro limpio y cortado en rodajas finas
un puñado de perejil picado
140 ml de nata para montar
2 patatas medianas de unos 200 g cada una, sin pelar y cortadas en rodajas lo más finas posible

15-20 minutos • 2 raciones

1 Repartir el abadejo, el puerro y el perejil en una fuente honda apta para microondas y mezclar bien. Echar la mitad de la nata y 5 cucharadas de agua. Colocar las rodajas de patata sobre el pescado y el puerro. Condimentar con un poco de sal y abundante pimienta negra; agregar el resto de la nata.
2 Cubrir la fuente con film plástico y perforar. Cocinar en el microondas a potencia alta 8-10 minutos, hasta que todo borbotee y las patatas estén tiernas al pincharlas. Mientras la fuente está en el microondas, precalentar el gratinador del horno a temperatura alta.
3 Retirar el film plástico y poner la fuente bajo el gratinador hasta que las patatas se doren. Dejar reposar antes de servir.

• Cada ración contiene: 646 kcal, 45 g de proteínas, 38 g de carbohidratos, 36 g de grasas, 22 g de grasas saturadas, 4 g de fibra, 0 g de azúcar añadido y 3,97 g de sal.

Prueba este plato como entrante para una
comida especial para dos.

Vieiras con guindilla y lima

2 cucharadas de aceite de oliva

10 vieiras

2 dientes de ajo grandes picados

2 cucharaditas de guindilla roja fresca
    picada

el zumo de 1 lima

un puñadito de cilantro picado

10-15 minutos • 2 raciones

1 Calentar el aceite en una sartén antiadherente, añadir las vieiras y saltear durante 1 minuto hasta que estén doradas por debajo. Darles la vuelta y echarles por encima el ajo y la guindilla.
2 Cocinar durante 1 minuto más.
A continuación, verter el zumo de lima y salpimentar. Incorporar el cilantro y servir.

• Cada ración contiene: 260 kcal, 34 g de proteínas, 2 g de carbohidratos, 13 g de grasas, 2 g de grasas saturadas, 0,3 g de fibra, 0 g de azúcar añadido, 0,99 g de sal.

Un plato sustancioso, sano y muy reconfortante, ideal para una cena de entre semana en invierno.

Abadejo ahumado con patatas

1 nuez de mantequilla
un chorrito de aceite vegetal
2 cebollas cortadas en rodajas finas
1 kg de patatas harinosas peladas
   y cortadas en rodajas gruesas
500 g de abadejo ahumado sin piel,
   cortado en trozos grandes (puede
   sustituirse por bacalao ahumado)
un puñado de perejil picado

30-40 minutos • 4 raciones

1 Calentar la mantequilla y el aceite en una cacerola ancha, añadir las cebollas y cocinar durante 5 minutos, removiendo hasta que se doren ligeramente. Echar las patatas y cocinar durante 5 minutos más, removiendo a menudo, hasta que también adquieran un poco de color.
2 Verter 500 ml de agua y agregar pimienta recién molida al gusto. Mezclar bien, y luego incorporar con cuidado el pescado y llevar a ebullición. Tapar y cocer durante 10 minutos o hasta que las patatas y el pescado estén tiernos. Espolvorear con perejil antes de servir.

• Cada ración contiene: 307 kcal, 29 g de proteínas, 39 g de carbohidratos, 5 g de grasas, 2 g de grasas saturadas, 4 g de fibra, 0 g de azúcar añadido, 2,5 g de sal.

Este plato sencillo, rápido e infalible gustará incluso a quienes no aprecian el pescado.

Pescado gratinado con jamón y queso

aceite de girasol o de oliva
4 filetes de pescado blanco sin piel,
   (bacalao, por ejemplo) de 500 g
   en total
4 lonchas finas de jamón dulce
50 g de queso cheddar curado, rallado
2 cebollas tiernas cortadas en diagonal
ensalada verde para servir

15-25 minutos • 4 raciones

1 Precalentar el gratinador a temperatura alta y untar con un poco de aceite una fuente amplia y poco honda apta para cocinar en el horno. Disponer los filetes en la fuente ligeramente espaciados y pintar con un poco de aceite. Gratinar durante 2 minutos.

2 Retirar la fuente del gratinador, darle la vuelta al pescado y cubrir cada filete con una loncha de jamón asado. Mezclar el queso y las cebollas, echarlos por encima del pescado y salpimentar. Devolver al gratinador durante 5 minutos o hasta que el pescado se desmenuce fácilmente con un tenedor. Servir con una ensalada verde.

• Cada ración contiene: 179 kcal, 30 g de proteínas, 0 g de carbohidratos, 6 g de grasas, 3 g de grasas saturadas, 0 g de fibra, 0 g de azúcar añadido, 0,94 g de sal.

Una receta muy popular para un plato único que es bastante sencillo,
pero muy delicioso.

Arroz picante con langostinos y chorizo

2 cucharadas de aceite de oliva

2 dientes de ajo picados

1 cebolla grande picada

2 guindillas rojas sin semillas y picadas

400 g de chorizo sin piel troceado

450 g de arroz de grano largo

1 cucharadita de pimentón ahumado
o 1 cucharada de dulce

200 ml de vino blanco seco

500 ml de caldo de pollo caliente (si se
utilizan cubitos, no emplear más
de 2)

175 g de habas o guisantes
congelados

400 g de langostinos tigre crudos y
pelados

250 g de tomates cherry cortados por
la mitad

3 cucharadas de perejil picado y un
poco más para espolvorear

45-55 minutos • 6 raciones

1 Calentar el aceite en una cazuela amplia y poco honda y freír durante unos minutos el ajo, la cebolla, las guindillas y el chorizo hasta que la cebolla se ablande. Incorporar el arroz y el pimentón. Luego añadir el vino y dejar que se evapore.

2 Verter el caldo, bajar el fuego y cocer 10 minutos, removiendo de vez en cuando. Echar las habas o los guisantes, salpimentar y cocer durante 7-10 minutos, removiendo, hasta que el arroz esté en su punto. Tener un poco de agua hirviendo a mano por si se necesita para mantener húmedo el arroz.

3 Incorporar los langostinos y los tomates; cocer durante unos cuantos minutos, hasta que los langostinos se vuelvan rosados. Agregar el perejil y rectificar de sal. Espolvorear con un poco más de perejil antes de servir.

• Cada ración contiene: 624 kcal, 33 g de proteínas, 75 g de carbohidratos, 21 g de grasas, 1 g de grasas saturadas, 3 g de fibra, 0 g de azúcar añadido, 2,15 g de sal.

Sírvelo con pan crujiente para untar en el sabroso jugo.

Salmón con puerros y tomates

700 g de puerros cortados en rodajas finas

3 cucharadas de aceite de oliva

2 cucharadas de mostaza de Dijon

2 cucharadas de miel clara

el zumo de ½ limón

250 g de tomates cherry cortados por la mitad

4 filetes de salmón sin piel, de 175 g cada uno

20-25 minutos • 4 raciones

1 Poner los puerros en una fuente grande apta para el microondas y rociar con 2 cucharadas de agua. Cubrir la fuente con film plástico y perforar un par de veces con un tenedor. Cocinar a potencia alta durante 3 minutos y luego dejar que repose 1 minuto.

2 Batir el aceite de oliva, la mostaza, la miel y el zumo de limón, y condimentar con un poco de sal y pimienta. Repartir los tomates sobre los puerros y poner encima la mitad de la salsa.

3 Colocar los filetes de salmón uno junto a otro sobre las verduras y poner el resto de la salsa por encima. Volver a cubrir con film plástico y continuar cociendo a potencia alta durante 9 minutos. Dejar que repose durante un par de minutos antes de servir.

• Cada ración contiene: 471 kcal, 39 g de proteínas, 13 g de carbohidratos, 29 g de grasas, 6 g de grasas saturadas, 5 g de fibra, 6 g de azúcar añadido y 0,54 g de sal.

Para una versión al estilo español, añade una pizca de azafrán
y un poco de vino blanco junto con los tomates.

Espaguetis con salsa de marisco

1 cucharada de aceite de oliva
1 cebolla picada
1 diente de ajo picado
1 cucharadita de pimentón
400 g de tomates troceados de lata
1 litro de caldo de pollo
300 g de espaguetis partidos
250 g de marisco variado congelado

PARA SERVIR
un puñado de hojas de perejil picadas
4 gajos de limón

20-25 minutos • 4 raciones

1 Calentar el aceite en un wok o una sartén grande; freír la cebolla y el ajo a fuego medio unos 5 minutos hasta que se ablanden. Añadir el pimentón, los tomates y el caldo, y después llevar a ebullición.
2 Bajar el fuego, incorporar la pasta y cocer durante 7 minutos, removiendo de vez en cuando para evitar que la pasta se pegue.
3 Agregar el marisco, cocer 3 minutos más, hasta que se caliente bien y la pasta esté hecha, y a continuación salpimentar al gusto. Espolvorear con el perejil y servir con gajos de limón.

• Cada ración contiene: 370 kcal, 23 g de proteínas, 62 g de carbohidratos, 5 g de grasas, 1 g de grasas saturadas, 4 g de fibra, 0 g de azúcar añadido, 1,4 g de sal.

Un curry suavemente picante y muy sabroso, para todos
los gustos, con un queso indio parecido al requesón o la ricotta,
pero de textura más firme.

Curry picante con guisantes

2 cucharadas de aceite vegetal
250 g de queso paneer troceado
1 cebolla cortada en rodajas finas
2 cucharaditas de pasta de curry
 suave
450 g de patatas peladas y cortadas
 en trozos
400 g de tomates en lata aderezados
 con ajo
300 ml de caldo vegetal
300 g de guisantes congelados
pan indio para servir

40-50 minutos • 4 raciones

1 Calentar 1 cucharada de aceite en una
cacerola amplia. Freír el queso durante 2-3
minutos, removiendo, hasta que quede crujiente
y dorado. Retirar con una espumadera y
reservar.
2 Freír la cebolla en el resto del aceite durante
4-5 minutos, hasta que se ablande y se vea
dorada. Añadir la pasta de curry y remover
durante 2 minutos.
3 Agregar las patatas, los tomates, el caldo
y el queso, llevar a ebullición y cocer lentamente
durante 15 minutos. Incorporar los guisantes,
llevar a ebullición y cocer a fuego lento 5
minutos más. Salpimentar y servir con naan u
otro pan indio.

• Cada ración contiene: 404 kcal, 20 g de proteínas,
32 g de carbohidratos, 22 g de grasas, 9 g de grasas
saturadas, 7 g de fibra, 0 g de azúcar añadido, 2,84 g
de sal.

Un plato muy nutritivo y lleno de color para alegrar una cena en otoño.

Verduras asadas con queso

1 cebolla roja pelada y cortada en 4 gajos compactos
1 calabaza moscada (600-700 g) pelada, sin semillas y cortada en trozos del tamaño de un bocado
6 cucharadas de aceite de oliva
2 cucharadas de salvia fresca picada
1 calabacín grande cortado en rodajas gruesas
1 cucharada de vinagre balsámico o de jerez
100 g de queso manchego

40-50 minutos • 2 raciones

1 Precalentar el horno a 200 °C. Disponer la cebolla y la calabaza en una fuente para hornear grande y honda, de forma que tengan mucho espacio; mezclar con 5 cucharadas de aceite, la salvia y sal y pimienta al gusto. Asar 20 minutos, removiendo una vez.

2 Mezclar las rodajas de calabacín con el resto del aceite. Sacar la fuente del horno y apartar la calabaza y la cebolla a un lado. Colocar las rodajas de calabacín planas sobre la base de la fuente, salpimentar y asar durante 10 minutos, hasta que todas las verduras estén tiernas.

3 Echar el vinagre sobre las verduras y mezclar bien. A continuación desmenuzar el queso por encima y remover ligeramente para que el queso se funda un poco. Servir.

• Cada ración contiene: 306 kcal, 8 g de proteínas, 14 g de carbohidratos, 25 g de grasas, 7 g de grasas saturadas, 3 g de fibra, 0 g de azúcar añadido, 0,39 g de sal.

Puedes utilizar patatas asadas que te hayan sobrado.
Sirve la tortilla con una sabrosa ensalada de rúcula y berros.

Tortilla de patatas con mozzarella

2 cucharadas de aceite de oliva
800 g de patatas asadas
8 huevos batidos
4 tomates de rama en rodajas
150 g de mozzarella cortada en trozos

30 minutos • 6 raciones

1 Calentar el aceite en una sartén grande. Poner las patatas en la sartén, extenderlas para cubrir la base y cocinarlas durante 5 minutos. Verter los huevos batidos de forma que cubran por completo las patatas, salpimentar bien y dejar que la tortilla se haga a fuego medio durante 15-20 minutos, o hasta que la base y los bordes hayan cuajado.

2 Mientras tanto, precalentar el gratinador a temperatura alta. Retirar la tortilla del fuego y hornear hasta que la parte superior esté firme. A continuación, sacarla del gratinador y esparcir por encima los tomates y la mozzarella. Poner de nuevo la tortilla bajo el gratinador 3-5 minutos más, o hasta que los tomates estén blandos y el queso se funda. Servir cortada en triángulos.

• Cada ración contiene: 465 kcal, 28 g de proteínas, 23 g de carbohidratos, 32 g de grasas, 7 g de grasas saturadas, 3 g de fibra, 0 g de azúcar añadido, 0,72 g de sal.

La marca Quorn comercializa productos alimenticios de microproteína obtenida a partir de un hongo. Si no encuentras quorn en bloques, puedes sustituirlo por seitán, carnita o incluso tofu firme.

Salteado chino con anacardos

50 g de anacardos

1 cucharada de aceite vegetal

200 g de quorn troceado

100 g de floretes pequeños de brócoli

100 g de floretes pequeños de coliflor

2 cucharaditas de salsa hoisin

1 pimiento rojo o amarillo sin semillas y cortado en rodajas

15 minutos • 2 raciones (fáciles de duplicar)

1 Echar los anacardos en un wok o una sartén antiadherente honda, y tostar a fuego medio durante unos minutos. Retirar y reservar. Calentar el aceite en el wok, añadir el quorn, el brócoli y la coliflor; saltear unos 2 minutos.

2 Mezclar la salsa hoisin con 6 cucharadas de agua hirviendo, verter en el wok y agregar el pimiento. Remover durante 3 minutos, o hasta que el pimiento esté en su punto. Añadir sal y pimienta al gusto, y servir con los anacardos por encima.

• Cada ración contiene: 363 kcal, 23 g de proteínas, 19 g de carbohidratos, 22 g de grasas, 2,6 g de grasas saturadas, 9 g de fibra, 5 g de azúcar añadido, 1,43 g de sal.

La salsa de pimientos rojos supone un cambio interesante respecto a las salsas de tomate. Sirve este chile vegetariano con pan de ajo y una ensalada.

Legumbres y verduras caldosas al chile

3 cucharadas de aceite de oliva

2 cebollas picadas

2 cucharaditas de azúcar

250 g de champiñones cortados en láminas

2 dientes de ajo fileteados

2 cucharaditas de guindilla molida suave

1 cucharada de cilantro molido

300-350 g de salsa de pimientos dulces

300 ml de caldo vegetal

400 g de garbanzos cocidos

400 g de alubias pintas cocidas

pan de ajo y ensalada mixta para servir

40-50 minutos • 4 raciones

1 Calentar el aceite en una cacerola amplia y de fondo grueso y freír las cebollas con el azúcar a fuego vivo hasta que se doren bien. Añadir los champiñones, los ajos, la guindilla y el cilantro molidos y saltear durante 2-3 minutos.

2 Incorporar la salsa de pimientos, el caldo, los garbanzos y las alubias; llevar a ebullición. Bajar el fuego, tapar y cocer a fuego lento durante 20 minutos. Salpimentar y servir, con pan de ajo y una ensalada mixta.

• Cada ración contiene: 303 kcal, 14 g de proteínas, 36 g de carbohidratos, 13 g de grasas, 2 g de grasas saturadas, 8 g de fibra, 5 g de azúcar añadido, 1,4 g de sal.

Merece la pena experimentar este plato básico de pasta,
más ligero que la receta tradicional.

Macarrones mini con champiñones

200 g de macarrones mini
2 puerros
6 champiñones
4 tomates
2 cucharadas de aceite de oliva
2 miniquesos blandos Le Roulé con
   ajo y hierbas, o minibries o
   porciones de queso azul

20-25 minutos • 2 raciones

1 Cocer los macarrones en una olla honda con
agua hirviendo. Han de quedar *al dente*.
Mientras tanto, limpiar, cortar en rodajas y lavar
los puerros, cortar los champiñones en cuartos
y picar los tomates.
2 Escurrir la pasta y mantenerla caliente.
Calentar el aceite en una sartén, echar los
puerros y los champiñones y freír 4-6 minutos,
hasta que los puerros estén hechos. Agregar los
tomates en el último minuto. Condimentar con
sal si se quiere y pimienta negra. Incorporar
los macarrones; calentar bien. A continuación,
desmenuzar el queso encima y dejar que se
funda un poco antes de servir.

• Cada ración contiene: 619 kcal, 17 g de proteínas,
85 g de carbohidratos, 26 g de grasas, 10 g de grasas
saturadas, 8 g de fibra, 0 g de azúcar añadido, 0,3 g
de sal.

Balti es un estilo de comida de origen cachemiro o bangladesí, muy popular en Birmingham, Reino Unido. Esta mezcla de curry se sirve con minipanes naan calientes.

Verduras estilo Balti

1 cucharada de aceite vegetal

1 cebolla grande cortada en rodajas gruesas

1 diente de ajo grande machacado

1 manzana pelada, sin corazón y en trozos grandes

3 cucharadas de pasta de curry Balti

1 calabaza moscada mediana pelada y troceada

2 zanahorias grandes cortadas en rodajas gruesas

200 g de chirivías cortadas en trozos grandes

1 coliflor de unos 500 g cortada en floretes

400 g de tomates en lata

450 ml de caldo vegetal

4 cucharadas de cilantro picado y un poco más para servir

150 g de yogur natural desnatado

1¼-1½ horas • 4 raciones

1 Calentar el aceite en una cacerola grande y cocinar a fuego lento la cebolla, el ajo y la manzana, removiendo de vez en cuando, hasta que la cebolla se ablande; es decir, durante 5-8 minutos aproximadamente. Incorporar la pasta de curry.

2 Poner las verduras frescas, los tomates y el caldo en la cacerola. Incorporar 3 cucharadas de cilantro. Llevar a ebullición, bajar el fuego, tapar y cocer durante 30 minutos.

3 Destapar y cocer 20 minutos más, hasta que las verduras estén blandas y el líquido se reduzca un poco. Condimentar con sal y pimienta.

4 Para preparar una salsa raita, mezclar el resto del cilantro con el yogur. Poner las verduras al curry en cuencos, echar por encima un poco de raita y espolvorear con más cilantro. Servir con el resto de la raita.

• Cada ración contiene: 201 kcal, 11 g de proteínas, 25 g de carbohidratos, 7 g de grasas, 1 g de grasas saturadas, 7 g de fibra, 0 g de azúcar añadido, 1,13 g de sal.

¿Quieres preparar una receta práctica pero necesitas inspiración?
Este plato es una versión renovada de un clásico,
y es más saludable de lo que parece.

Huevos con patatas fritas al horno

450 g de patatas harinosas
2 dientes de ajo fileteados
4 ramitas frescas de romero
   o 1 cucharadita de romero seco
2 cucharadas de aceite de oliva
2 huevos

50-60 minutos • 2 raciones

1 Precalentar el horno a 220 °C. Sin pelarlas, cortar las patatas gruesas para freírlas. Ponerlas en una bandeja rustidera (mejor que sea antiadherente) y echar por encima el ajo. Desprender las hojas de romero de las ramitas y espolvorear las patatas también con ellas, o con el romero seco. Rociar las patatas con el aceite, salpimentar y removerlas a continuación para que se impregnen bien.
2 Asar las patatas al horno durante 35-40 minutos, hasta que estén doradas y en su punto, sacudiendo la rustidera una vez.
3 Formar dos huecos entre las patatas y cascar un huevo en cada hueco. Meter de nuevo al horno durante 3-5 minutos, hasta que los huevos están hechos al gusto.

• Cada ración contiene: 348 kcal, 11 g de proteínas, 40 g de carbohidratos, 17 g de grasas, 3 g de grasas saturadas, 3 g de fibra, 0 g de azúcar añadido, 0,22 g de sal.

El paneer es un queso bajo en grasas descrito a menudo como el requesón indio, pero es más firme y conserva su forma al cocinarlo.

Verduras a la cazuela con queso paneer

½ cucharadita de comino
1 guindilla verde sin semillas y picada
1 trozo de 4 cm de jengibre fresco
   picado
150 g de yogur griego
1 cucharadita de azúcar mascabado
½ cucharadita de mezcla de especias
   garam masala
2 cucharadas de hojas y tallos
   de cilantro fresco picado
el zumo de ½ lima
3 cucharadas de concentrado de
   tomate
250 g de guisantes congelados
225 g de paneer (queso indio) cortado
   en dados de 1 cm
2-3 tomates rojos cortados en gajos
un puñado de anarcados tostados
   y picados para servir

25-35 minutos • 2 raciones

1 Tostar el comino en una cazuela durante unos 30 segundos. Machacar con un rodillo de cocina y poner en el vaso de la batidora con la guindilla, el jengibre, el yogur, el azúcar, el garam masala, el cilantro, el zumo de lima, el concentrado de tomate y 200 ml de agua. Batir hasta formar una mezcla homogénea.
2 Echar la salsa en la cazuela utilizada para tostar el comino. Cocinar durante 5 minutos, removiendo a menudo. Añadir los guisantes y cocer con suavidad 3-5 minutos, hasta que estén casi hechos.
3 Agregar el paneer y los tomates; calentar 2-3 minutos. Echar por encima los anacardos justo antes de servir.

• Cada ración contiene: 607 kcal, 44 g de proteínas, 24 g de carbohidratos, 38 g de grasas, 23 g de grasas saturadas, 8 g de fibra, 3 g de azúcar añadido, 3,26 g de sal.

Con la cocción al vapor se obtienen platos aromáticos, ligeros y sabrosos, que conservan toda la frescura de los ingredientes.

Cuenco de verduras al vapor y tofu

1-2 zanahorias en tiras
1-2 chirivías en trozos
1 cucharada de jerez seco
2 cucharadas de salsa de soja
1 calabacín cortado en rodajas
    de 1 cm
4-6 espárragos cortos
3 setas frescas shiitake o
    champiñones, cortados
    en cuatro
25 g de mantequilla
2 cebollas tiernas cortadas
100 g de tofu firme ahumado, cortado
    en cubos

25 minutos • 2 raciones

1 Mezclar la zanahoria y la chirivía con el jerez y la salsa de soja en un cuenco poco hondo a prueba de calor que quepa dentro de una cesta para cocción al vapor. Dejar en adobo durante 10 minutos.
2 Llevar una cazuela de agua a ebullición, colocar la cesta para cocción al vapor y luego poner dentro el cuenco con la zanahoria y la chirivía. Tapar y cocer al vapor 4-5 minutos.
3 Añadir el calabacín, los espárragos y las setas, removiendo para mezclar. Cubrir con virutas de mantequilla, echar por encima las cebolletas, tapar y cocer al vapor durante 3 minutos más.
4 Añadir el tofu y continuar cociendo al vapor durante 2 minutos. Antes de servir, mezclar con cuidado todos los ingredientes.

• Cada ración contiene: 206 kcal, 8 g de proteínas, 11 g de carbohidratos, 13 g de grasas, 6,9 g de grasas saturadas, 4,4 g de fibra, 0,3 g de azúcar añadido, 3,01 g de sal.

Un auténtico plato vegetariano, sencillo y reconfortante.

Estofado de verduras con queso

3 puerros limpios y cortados
  en rodajas
1 nuez grande de mantequilla
½ col rizada cortada
8 champiñones cortados en láminas
4 cucharadas de *crème fraîche*
3 patatas medianas peladas y cortadas
  en rodajas finas
1 camembert pequeño u otro queso
  blando con corteza, cortado en
  lonchas, con la corteza
1 cucharada de hojas de tomillo fresco

35-40 minutos • 4 raciones

1 En una fuente poco honda, apta para cocinar en microondas, poner los puerros con la mitad de la mantequilla y cocinar a potencia alta durante 5 minutos, hasta que empiecen a ablandarse. Incorporar la col y los champiñones; añadir la nata. Colocar las rodajas de patata sobre las verduras, presionándolas con una espumadera.
2 Poner el resto de la mantequilla en trocitos sobre las patatas y cocinar en el microondas, sin tapar, durante 15-20 minutos a potencia alta, hasta que estén hechas. Esparcir por encima el queso y el tomillo, y mantener en el microondas a potencia alta para fundir durante 2 minutos o bien gratinar hasta que quede crujiente y tostado. Dejar que repose durante unos minutos antes de servir.

• Cada ración contiene: 308 kcal, 15 g de proteínas, 19 g de carbohidratos, 20 g de grasas, 12 g de grasas saturadas, 5 g de fibra, 0 g de azúcar añadido, 0,83 g de sal.

Una receta muy simple que apetece a cualquier hora del día:
para un almuerzo de domingo, una cena sencilla
o incluso un desayuno sin prisas.

Huevos al horno con tomate

900 g de tomates en rama
3 dientes de ajo fileteados
3 cucharadas de aceite de oliva
4 huevos grandes
2 cucharadas de perejil y/o cebollino
tostadas o chapata y ensalada verde
    para servir

1 hora aproximadamente • 4 raciones

1 Precalentar el horno a 200 °C. Cortar los tomates en cuartos o en gajos gruesos, según su tamaño, y luego extenderlos sobre la base de una fuente de horno amplia y poco honda. Echar el ajo por encima de los tomates, rociarlos con el aceite y sazonar bien. Removerlo todo hasta que los tomates brillen; hornear 40 minutos, hasta que se ablanden y se tuesten un poco.

2 Formar 4 huecos entre los tomates, cascar un huevo en cada hueco y cubrir la fuente con papel de aluminio. Devolver la fuente al horno durante 5-10 minutos, hasta que los huevos cuajen al gusto. Echar por encima las hierbas y servir muy caliente, con tostadas gruesas o chapata tibia y una ensalada verde para acompañar.

• Cada ración contiene: 204 kcal, 9 g de proteínas, 7 g de carbohidratos, 16 g de grasas, 3 g de grasas saturadas, 3 g de fibra, 0 g de azúcar añadido, 0,27 g de sal.

Puedes variar las verduras —prueba a poner boniatos, guisantes y brotes de bambú— y añadir unos anacardos por encima.

Curry rojo de calabaza al estilo tailandés

1 calabaza moscada de unos 700 g
200 g de mezcla de tirabeques
    y mazorquitas de maíz
2 cucharadas de aceite de girasol
1-2 cucharadas de pasta
    de curry rojo al estilo tailandés
400 ml de leche de coco
150 ml de caldo vegetal
2 cucharadas de salsa de soja
1 cucharada de azúcar mascabado
el zumo de ½ lima
pan naan o chapatis para servir

30 minutos • 4 raciones

1 Eliminar los extremos de la calabaza, cortarla en cuartos a lo largo y luego quitar las fibras y semillas. Pelar y a continuación cortar en trozos grandes. Cortar las mazorquitas de maíz por la mitad a lo largo.
2 Calentar el aceite en una cacerola y sofreír la pasta de curry 1-2 minutos. Añadir la leche de coco, el caldo, la salsa de soja y el azúcar; llevar a ebullición.
3 Añadir la calabaza y las mazorquitas de maíz, y sal al gusto; tapar y cocer a fuego lento durante 10-12 minutos. Agregar el zumo de lima y los tirabeques, y cocer a fuego lento 1 minuto. Servir caliente, con pan naan o chapatis.

• Cada ración contiene: 283 kcal, 4,4 g de proteínas, 16,2 g de carbohidratos, 22,6 g de grasas, 14,6 g de grasas saturadas, 2,2 g de fibra, 5,3 g de azúcar añadido y 1,95 g de sal.

Si tus invitados son vegetarianos, sustituye la carne por
800 g de garbanzos cocidos e incrementa la cantidad de setas a 400 g.

Estofado de carne y champiñones

750 g de redondo o contrafilete limpio
  y cortado en tiras finas
3 cucharadas de aceite vegetal
200 g de champiñones cortados
  en cuartos
1 cucharada de pimentón dulce
900 g de patatas peladas y cortadas
  en trozos pequeños
500 g de concentrado de tomate
850 ml aproximadamente de caldo
  de ternera
150 g de yogur natural
un puñado de hojas de perejil picadas

50-60 minutos • 8 raciones

1 Calentar 1 cucharada de aceite en una cacerola amplia a fuego vivo. Salpimentar la carne y poner a freír un tercio 2-3 minutos hasta que esté dorada. Pasar la carne a una fuente con una espumadera. Repetir la operación con el resto del aceite y de la carne.
2 Echar los champiñones, bajar el fuego un poco y freír 5 minutos hasta que empiecen a dorarse. Espolvorear con el pimentón y saltear brevemente. Echar las patatas, el concentrado de tomate y el caldo suficiente para cubrirlo todo. Mezclar, tapar y cocer a fuego lento 20 minutos, hasta que las patatas estén tiernas.
3 Poner la carne en la cacerola con su jugo, mezclar y cocer con suavidad 5 minutos. Rectificar de sal, y servir con el yogur y el perejil por encima.

• Cada ración contiene: 279 kcal, 26 g de proteínas, 25 g de carbohidratos, 9 g de grasas, 2,2 g de grasas saturadas, 2 g de fibra, 0,9 g de azúcar añadido, 0,87 g de sal.

Esta receta admite muchas combinaciones: si no te apetece utilizar espárragos y habas, puedes probar con brócoli y judías verdes.

Pollo con verduritas a la mostaza

2 cucharadas de aceite de oliva
25 g de mantequilla
8 pechugas de pollo grandes deshuesadas y sin piel, cada una cortada en 3 trozos
8 chalotas cortadas por la mitad
2 dientes de ajo picados
450 g de patatas nuevas baby
450 g de zanahorias baby limpias
3 cucharadas de harina de trigo
1½ cucharadas de mostaza de Dijon
450 ml de vino blanco seco
450 ml de caldo de pollo
250 g de espárragos limpios
250 g de habas sin vaina
1 cucharada de zumo de limón
100 ml de nata para montar
un puñado de mezcla de perejil y estragón frescos picados
pan crujiente para servir

1¼-1½ hora-8 raciones

1 Calentar el aceite y la mantequilla en una sartén grande y honda, y dorar el pollo en varias tandas 3-4 minutos. Retirar de la sartén y reservar. Añadir a la sartén las chalotas, el ajo, las patatas (cortadas por la mitad) y las zanahorias; mezclar. Dorar ligeramente unos 5 minutos. Espolvorear con la harina, incorporar la mostaza y mezclar. Verter el vino blanco y cocer suavemente hasta que se reduzca a la mitad.
2 Agregar el caldo y llevar a ebullición. Poner el pollo en la sartén. Tapar y cocer a fuego lento 15 minutos.
3 Echar por encima los espárragos y las habas, sin remover, tapar y cocer a fuego lento 8 minutos. Añadir el zumo de limón, la nata, el perejil y el estragón; calentar suavemente. Servir con pan crujiente.

• Cada ración contiene: 414 kcal, 42 g de proteínas, 23 g de carbohidratos, 14 g de grasas, 6 g de grasas saturadas, 5 g de fibra, 0 g de azúcar añadido, 0,92 g de sal.

Unos tomates en conserva de buena calidad
suponen una gran diferencia para el sabor de este plato.

Cordero picante con garbanzos

1¼ kg de filete o pierna de cordero
en dados
800 g de tomate de lata
1 cucharada de pasta harisa
800 g de garbanzos cocidos
un buen puñado de cilantro picado

1½-1¾ horas • 8 raciones

1 Poner el cordero y los tomates en una olla grande. Llenar de agua una de las latas de tomate, echar el agua en la olla e incorporar la harisa con abundante sal y pimienta. Llevar a ebullición, y luego bajar el fuego y tapar la olla. Cocer suavemente, removiendo de vez en cuando, durante 1¼-1½ hora o hasta que el cordero esté tierno.
2 Echar los garbanzos, mezclar bien y calentar durante 5 minutos. Rectificar de sal, añadiendo más harisa si se desea. Servir espolvoreado con cilantro.

• Cada ración contiene: 406 kcal, 36 g de proteínas, 13 g de carbohidratos, 24 g de grasas, 10,8 g de grasas saturadas, 3,5 g de fibra, 0 g de azúcar añadido, 0,82 g de sal.

Una variante rápida del clásico plato griego. Para una auténtica
comida mediterránea, servir con pan de pita tostado.

Musaca del fuego a la mesa

2 cucharadas de aceite de oliva
2 cebollas grandes picadas finamente
2 dientes de ajo picados finamente
1 kg de carne picada de cordero
800 g de tomate en lata troceado
3 cucharadas de concentrado
   de tomate
2 cucharaditas de canela molida
200 g de berenjenas asadas en aceite
   de oliva, escurridas y troceadas
300 g de queso feta desmenuzado
un buen puñado de menta picada
ensalada verde y pan de pita tostado
   para servir

40-50 minutos • 8 raciones

1 Calentar el aceite en una sartén grande y
honda. Echar las cebollas y el ajo, y freír hasta
que se ablanden. Añadir la carne picada y saltear
durante unos 10 minutos, hasta que se dore.
2 Incorporar los tomates, agregar un
poco más de medio litro de agua y añadir
el concentrado de tomate y la canela.
Condimentar con abundante sal y
pimienta. Cocinar la carne picada a fuego lento
durante media hora, agregando las berenjenas
a media cocción.
3 Echar el queso desmenuzado y la menta
picada por encima de la carne. Sacar la musaca
a la mesa cuando el feta se funda, y servir con
una crujiente ensalada verde y pan de pita
tostado.

• Cada ración contiene: 454 kcal, 32 g de proteínas,
10 g de carbohidratos, 32 g de grasas, 14,1 g de
grasas saturadas, 2,3 g de fibra, 0 g de azúcar añadido
y 1,83 g de sal.

Las recetas de curry al estilo tailandés se cocinan en pocos minutos
una vez que todos los ingredientes están preparados,
por lo que este es un plato único al que recurrirás a menudo.

Curry verde de pollo al estilo tailandés

2 cucharadas de aceite vegetal

2 dientes de ajo picados

6 cucharaditas de pasta verde de curry
a la tailandesa

800 g de leche de coco

450 g de patatas nuevas limpias
troceadas

200 g de judías verdes despuntadas
y cortadas por la mitad

4 cucharaditas de salsa de pescado
a la tailandesa (*nam pla*)

2 cucharaditas de azúcar

6 pechugas de pollo deshuesadas
y sin piel, cortadas en dados

2 hojas frescas de lima kaffir cortadas
en tiras finas o 3 tiras anchas de
piel de lima

un buen puñado de hojas de albahaca

30-40 minutos • 8 raciones

1 Calentar el aceite en un wok grande, echar el ajo y remover hasta que se dore. Añadir la pasta de curry y mezclar un par de minutos. Luego verter la leche de coco y llevar a ebullición. Añadir las patatas y cocer con suavidad 10 minutos. A continuación, agregar las judías y cocer a fuego lento 5 minutos más. Tanto las patatas como las judías deberían estar ya tiernas; si no es así, cocer un poco más.

2 Incorporar la salsa de pescado y el azúcar. Luego añadir el pollo, tapar y cocer con suavidad unos 10 minutos, hasta que esté tierno. Antes de servir, incorporar las hojas o la piel de lima, seguidas de la albahaca. Probar y añadir más salsa de pescado si es preciso.

• Cada ración contiene: 363 kcal, 29 g de proteínas, 15 g de carbohidratos, 21 g de grasas, 14,6 g de grasas saturadas, 1,3 g de fibra, 1,4 g de azúcar añadido, 1,09 g de sal.

Las alcachofas en aceite combinan muy bien con la menta y el tomate en esta receta de cordero.

Cordero con alcachofas a la menta

1 kg de tomates maduros
1¼ kg de cordero cortado en dados
   (cuello deshuesado, paletilla
   o pierna)
3 cucharadas de aceite de oliva
1 cebolla grande cortada en rodajas
   finas
300 g de corazones de alcachofa
   en aceite
un buen puñado de hojas de menta
   picadas

1¼-1½ hora • 8 raciones

1 Hacer una cruz en la parte inferior de cada tomate con un cuchillo afilado. Escaldarlos en un cuenco grande con agua hirviendo, y luego escurrirlos, pelarlos y picarlos.
2 Salpimentar el cordero. Calentar 2 cucharadas de aceite en una cacerola a fuego vivo y freír el cordero en pequeñas cantidades hasta que se dore y retirarlo. Bajar el fuego, añadir el resto del aceite y la cebolla, y freír 5 minutos, hasta que se ablande.
3 Devolver el cordero a la cacerola e incorporar los tomates. Llevar a ebullición, bajar el fuego y agregar un poco de agua caliente para cubrir la carne. Tapar y cocer a fuego lento 50-60 minutos, hasta que el cordero esté tierno. Incorporar las alcachofas y la menta, calentar bien y salpimentar al gusto.

• Cada ración contiene: 405 kcal, 31 g de proteínas, 7 g de carbohidratos, 28 g de grasas, 10,7 g de grasas saturadas, 2,3 g de fibra, 0 g de azúcar añadido, 0,68 g de sal.

Una fórmula mágica para lograr que las piezas de carne
más económicas queden sumamente tiernas.

Cerdo guisado a la naranja

1 kg de paletilla de cerdo deshuesada
   y cortada en dados

3 cucharadas de aceite de oliva

1 apio nabo grande (1 kg
   aproximadamente) pelado y cortado
   en trozos grandes

4 puerros limpios y troceados

3 zanahorias peladas y troceadas

2 dientes de ajo picados

400 ml de vino blanco seco

400 ml de caldo de pollo

2 cucharadas de salsa de soja

la ralladura y el zumo de 1 naranja
   grande

1 ramita grande de romero

2½-2¾ horas • 8 raciones

1 Precalentar el horno a 140 °C. Salar la carne.
Calentar 1 cucharada de aceite en una cazuela
grande a fuego bastante vivo. Añadir la mitad de
la carne de cerdo y dorar por ambos lados, unos
minutos. Con una espumadera, trasladar la
carne a una fuente. Repetir la operación con otra
cucharada de aceite y el resto de la carne.

2 Calentar el aceite restante en la cazuela y freír
las verduras y el ajo durante 3-4 minutos, hasta
que empiecen a dorarse. Echar la carne y su
jugo en la cazuela y luego añadir el resto de los
ingredientes. Mezclar bien y llevar a ebullición.

3 Tapar la cazuela y hornear 2-2¼ horas, hasta
que la carne esté muy tierna, removiendo a
media cocción. Dejar reposar unos 10 minutos,
rectificar de sal y servir.

• Cada ración contiene: 251 kcal, 29 g de proteínas, 11 g de
carbohidratos, 10 g de grasas, 2,3 g de grasas saturadas,
6,9 g de fibra, 0,1 g de azúcar añadido, 1,39 g de sal.

Para ser tan fácil de preparar, este plato tiene un sabor muy especial.
Como alternativa al queso de cabra, puedes utilizar otro queso
cremoso con finas hierbas.

Pollo relleno de queso de cabra

8 pechugas de pollo grandes sin piel
20 g de estragón fresco
300 g de queso de cabra
5 tomates en rama cortados en rodajas
3 cucharadas de aceite de oliva
hojas de ensalada aliñadas y pan para
    servir

40-50 minutos • 8 raciones

1 Precalentar el horno a 200 °C. Hacer un corte en el centro de cada pechuga de pollo (con cuidado para no atravesar la pieza) y luego abrirlo con los dedos. Disponer el pollo en una sola capa en una fuente de horno grande ligeramente engrasada.

2 Reservar 8 ramitas de estragón, picar el resto de las hojas y mezclar con el queso junto con abundante pimienta negra. Con una cuchara, meter la mezcla en el corte del pollo. Poner 2 rodajas de tomate sobre cada corte relleno, colocar una ramita de estragón encima y rociar con aceite.

3 Salpimentar y hornear durante 25-30 minutos, hasta que el pollo esté hecho pero no seco. Servir caliente o frío con hojas de ensalada aliñadas y pan.

• Cada ración contiene: 248 kcal, 34 g de proteínas, 2 g de carbohidratos, 12 g de grasas, 4 g de grasas saturadas, 1 g de fibra, 0 g de azúcar añadido, 0,64 g de sal.

Si tenemos poca carne picada y queremos que cunda,
este plato es el indicado.

Estofado de ternera con alubias

750 g de carne picada de ternera
1 cubito de caldo de ternera
2 cebollas grandes picadas
450 g de zanahorias peladas
   y en rodajas gruesas
1¼ kg de patatas peladas y cortadas
   en trozos grandes
800 g de alubias en salsa de tomate
   (en conserva)
salsa worcestershire o tabasco
un buen puñado de perejil picado

1 hora aproximadamente • 8 raciones

1 Calentar una sartén antiadherente grande y
honda, poner la carne picada y freír a fuego
bastante vivo hasta que se dore, removiendo a
menudo para deshacerla bien. Desmenuzar el
cubito de caldo y mezclar.
2 Añadir las verduras, remover todo y verter
suficiente agua hirviendo (1 litro y cuarto
aproximadamente) para cubrir. Llevar a ebullición;
luego bajar el fuego y mezclar de nuevo. Tapar
la sartén y cocer a fuego lento durante 30 minutos,
hasta que las verduras estén tiernas.
3 Echar las alubias en salsa, rociar con salsa
worcestershire o tabasco al gusto, mezclar y
calentarlo todo. Rectificar de sal y espolvorear
con el perejil. Servir con más salsa
worcestershire o tabasco, si se desea un sabor
intenso.

• Cada ración contiene: 362 kcal, 31 g de proteínas,
51 g de carbohidratos, 5 g de grasas, 1,9 g de grasas
saturadas, 7,9 g de fibra, 3,4 g de azúcar añadido,
2,05 g de sal.

Esta sopa es una comida completa, y tiene el éxito asegurado
con sus aromas deliciosos y sus maravillosos sabores.

Harira marroquí de cordero

100 g de garbanzos remojados durante
   una noche y escurridos
100 g de lentejas
750 g de cordero cortado en dados
   de 1 cm
1 cebolla grande picada finamente
1 cucharadita de cúrcuma
½ cucharadita de canela molida
¼ cucharadita de jengibre molido,
   de hebras de azafrán y de pimentón
   dulce
50 g de mantequilla
100 g de arroz de grano largo
4 tomates maduros pelados, sin
   semillas y picados
2 cucharadas de cilantro fresco picado
4 cucharadas de perejil picado
cuartos de limón para servir

2½-2¾ horas • 8 raciones

1 Echar los garbanzos y las lentejas en una olla
o cacerola grande. Añadir el cordero, la cebolla
y las especias; verter un litro y medio de agua,
hasta para cubrir. Salpimentar.
2 Llevar a ebullición, espumando cuando el
agua empiece a borbotear. Incorporar
la mitad de la mantequilla. Bajar el fuego y cocer
con suavidad, tapado, 2 horas, hasta que los
garbanzos estén tiernos, añadiendo el arroz y los
tomates durante la última media hora, con más
agua si es necesario.
3 Incorporar el resto de la mantequilla con el
cilantro y el perejil (reservar un poco para decorar)
y rectificar de sal. Servir caliente, con un cuarto
de limón por cada ración para que cada cual
aderece el plato a su gusto.

• Cada ración contiene: 370 kcal, 25 g de proteínas,
28 g de carbohidratos, 18 g de grasas, 9,2 g de grasas
saturadas, 3,6 g de fibra, 0 g de azúcar añadido, 0,27 g
de sal.

Un buen chile es uno de los mejores platos para servir en una cena informal con amigos, y este es aún mejor si se prepara con antelación.

Chile con carne

2 cucharadas de aceite vegetal
1 cebolla grande picada finamente
2 pimientos rojos sin semillas
　y cortados en trozos de 1 cm
2 dientes de ajo machacados
1-2 cucharaditas de guindilla molida
2 cucharaditas de pimentón dulce
2 cucharaditas de comino molido
1 cucharadita de orégano seco
900 g de carne picada de ternera
1 cubito de caldo de ternera
800 g de tomates en lata troceados
3 cucharadas de concentrado
　de tomate
1 cucharadita de azúcar
800 g de alubias rojas cocidas

1 ¼ hora aproximadamente • 8 raciones

1 Calentar el aceite en una cacerola y sofreír la cebolla. Añadir los pimientos, los ajos, las especias y el orégano, y sofreír 5 minutos removiendo. Incorporar la carne y subir el fuego. Freír hasta dorarla, removiendo a menudo y deshaciendo los grumos.
2 Desmenuzar el cubito de caldo y verter 600 ml de agua. Luego echar los tomates, y añadir el concentrado de tomate y el azúcar. Mezclar bien y llevar a ebullición. Tapar y cocer a fuego lento durante media hora, agregando un poco de agua caliente si la carne se seca.
3 Incorporar las alubias y calentar sin tapar durante 10 minutos. Retirar del fuego y rectificar de sal. A continuación tapar la cacerola. Dejar reposar durante 10-15 minutos antes de servir.

• Cada ración contiene: 402 kcal, 30 g de proteínas, 22 g de carbohidratos, 22 g de grasas, 8,5 g de grasas saturadas, 6,3 g de fibra, 0,7 g de azúcar añadido, 1,61 g de sal.

Un plato reconfortante y generoso que resulta perfecto
para las cenas de invierno.

Ternera al pimentón

3 cucharadas de aceite de girasol

1½ kg de bistec de ternera para la
    brasa o de carne de ternera para
    estofado, en dados de 5 cm

2 cebollas grandes cortadas en rodajas

2 dientes de ajo machacados

2 cucharadas de pimentón dulce

3 cucharadas de concentrado
    de tomate

2 cucharadas de vinagre de vino (tinto
    o blanco)

2 cucharaditas de orégano seco
    o hierbas variadas

2 hojas de laurel

½ cucharadita de semillas de comino

800 g de tomates en lata troceados

750 ml de caldo de ternera

2 pimientos rojos grandes, sin semillas
    y cortados en aros

150 ml de crema de leche con unas
    gotas de limón

3-3½ horas • 8 raciones

1 Precalentar el horno a 160 ºC. En una cazuela
grande, calentar 2 cucharadas de aceite. Dorar
la carne en 2-3 veces, retirándola cada vez con
una espumadera.

2 Añadir el resto del aceite, las cebollas y el ajo.
Cocinar a fuego lento durante 10 minutos,
removiendo de vez en cuando, hasta que las
cebollas se ablanden. Añadir la carne y su jugo, y
agregar el pimentón, el concentrado de tomate, el
vinagre, las hierbas, el laurel y las semillas de
comino.

3 Echar los tomates, añadir el caldo, salpimentar
y llevar a ebullición, agregando un poco de agua
si la carne no queda cubierta. Remover, tapar
y meter en el horno durante 2½ horas, o hasta
que la carne esté tierna. A media cocción,
incorporar los pimientos rojos. Servir los platos
con un cordón de la crema de leche al limón.

• Cada ración contiene: 451 kcal, 43 g de proteínas,
14 g de carbohidratos, 25 g de grasas, 9,7 g de grasas
saturadas, 2,8 g de fibra, 0 g de azúcar añadido,
0,87 g de sal.

Cenas para muchos comensales

Impresiona a tus amigos con este sensacional curry, que ofrece
un sabor intenso, delicioso y auténtico, sin resultar demasiado graso.

Curry aromático de pollo

3 cebollas cortadas en cuartos

4 dientes grandes de ajo

1 trozo de 5 cm de jengibre fresco
   picado

3 cucharadas de curry molido moglai
   (medio)

1 cucharadita de cúrcuma

2 cucharaditas de pimentón dulce

2 guindillas rojas, frescas, sin semillas
   y picadas

40 g de cilantro fresco

1 cubito de caldo de pollo

6 pechugas de pollo grandes,
   deshuesadas y sin piel, en dados

800 g de garbanzos cocidos

yogur natural desnatado, pan naan
   para servir

60-70 minutos • 8 raciones

1 Echar las cebollas, los ajos, el jengibre, el
curry molido, las especias molidas, las guindillas
y la mitad del cilantro en un robot de cocina.
Añadir 1 cucharadita de sal y triturar hasta formar
un puré (puede que tenga que hacerse en 2
veces). Poner la mezcla en una cazuela grande
y cocinar a fuego lento durante 10 minutos,
removiendo con frecuencia.

2 Desmenuzar el cubito de caldo, verter ¾ litro
de agua hirviendo y llevar de nuevo a ebullición.
Añadir el pollo y remover. Bajar el fuego y cocer
con suavidad 20 minutos, hasta que esté tierno.

3 Picar el resto del cilantro y a continuación
incorporarlo todo excepto 2 cucharadas al curry
con los garbanzos. Calentar bien. Servir con el
cilantro reservado y el yogur natural, con pan
naan para acompañar.

• Cada ración contiene: 227 kcal, 32 g de proteínas, 17 g
de carbohidratos, 4 g de grasas, 0,4 g de grasas saturadas,
4,6 g de fibra, 0 g de azúcar añadido, 1,72 g de sal.

Créditos de fotografías y recetas

BBC Worldwide quiere expresar su agradecimiento a las siguientes personas por haber proporcionado las fotografías de este libro. Aunque nos hemos esforzado al máximo por rastrear y reconocer a todos los fotógrafos, quisiéramos pedir disculpas en caso de que haya cualquier error u omisión.

Marie-Louise Avery pp. 23, 51, 133; María José Sevilla p. 55; Iain Bagwell pp. 27, 97, 107; Steve Baxter pp. 13, 53, 113, 159; Martin Brigdale, p. 183; Carl Clemens-Gros pp. 105, 177; Ken Field pp. 11, 15, 43, 47, 67, 101, 117, 123, 135, 141, 171; Will Heap pp. 89, 207; Dave King p. 131; William Lingwood pp. 29, 119; Jason Lowe pp. 37, p 197; David Munns pp. 25, 35, 49, 61, 69, 111, 167, 179, 209; Myles New p. 143; Myles New y Craig Robertson pp. 17 y 19; Craig Robertson pp. 185, 199, 203; Howard Shooter p. 91; Sharon Smith p. 137; Roger Stowell pp. 21, 31, 39, 45, 65, 73, 75, 77, 83, 85, 93, 99, 109, 115, 121, 127, 151, 153, 155, 163, 181, 191, 205, 211; Sam Stowell p. 187; Simon Walton pp. 41, 59, 173; Cameron Watt p. 157; Philip Webb pp. 33, 57, 71, 79, 81, 89, 95, 103, 129, 145, 147, 149, 165, 195; Simon Wheeler pp. 63, 139, 161, 169, 175, 189, 193, 201; Jonathan Whitaker p. 87.

Todas las recetas de este libro han sido creadas por el equipo editorial de *BBC Good Food Magazine*.

Lorna Brash, Sara Buenfeld, Mary Cadogan, Barney Desmazery, Jane Hornby, Emma Lewis, Kate Moseley, Orlando Murrin, Vicky Musselman, Angela Nilsen, Maggie Pannell, Jenny White y Jeni Wright.

Sabroso, sin apenas preparación, supersaludable,
con ingredientes de la despensa… Un plato único insuperable.

Arroz al curry con espinacas

1 cucharada de aceite de girasol
2 dientes de ajo machacados
2 cucharadas de pasta de curry
   (la de Madrás es una buena opción)
250 g de arroz basmati
450 g de caldo vegetal
400 g de garbanzos cocidos
un puñado de pasas
200 g de espinacas congeladas
un puñado de anacardos
yogur natural para servir (opcional)

20 minutos • 4 raciones

1 Calentar el aceite en una sartén antiadherente grande que tenga tapa. A continuación freír el ajo y la pasta de curry a fuego medio durante 1 minuto, hasta que huela a tostado.
2 Echar el arroz en la sartén con el caldo, los garbanzos y las pasas; remover bien con un tenedor para impedir que el arroz se apelmace. Salpimentar, y luego tapar y llevar a ebullición. Bajar a fuego medio y cocer 12-15 minutos, hasta que se absorba todo el líquido y el arroz esté tierno.
3 Quitar el exceso de agua a las espinacas. Incorporarlas a la sartén junto con 2 cucharadas de agua caliente; remover los granos de arroz con un tenedor, asegurándose de que las espinacas quedan bien mezcladas. Echar los anacardos. Servir con un hilo de yogur natural si se desea.

• Cada ración contiene: 380 kcal, 12 g de proteínas, 66 g de carbohidratos, 9 g de grasas, 1 g de grasas saturadas, 4 g de fibra, 0 g de azúcar añadido, 1,02 g de sal.

El vino añade mucho sabor a este plato reconfortante,
y además las verduras baby lo hacen muy apetecible.

Cazuela vegetal con bolitas

8 chalotas cortadas por la mitad a lo largo
3 cucharadas de aceite de oliva suave
250 g de patatas nuevas baby
    cortadas por la mitad
1 guindilla sin semillas y picada
200 g de zanahorias baby raspadas
500 g de hinojo cortado en medias lunas
300 ml de vino blanco afrutado
600 ml de caldo vegetal
200 g de judías verdes por la mitad
250 g de champiñones por la mitad
200 g de calabacines baby picados
1 cucharada de cebollino
1 cucharada de perejil

PARA LAS BOLITAS
50 g de mantequilla cortada en trozos
100 g de harina con levadura
50 g de queso cheddar curado rallado
3 cucharadas de perejil picado

1¾-2 horas • 6 raciones

1 Freír las chalotas en el aceite en una cacerola hasta que se ablanden. Añadir las patatas y freír durante 5-7 minutos. Luego añadir la guindilla, las zanahorias y el hinojo, y freír hasta que adquieran color. Verter el vino y el caldo y cocer con suavidad 10 minutos.

2 Hacer las bolitas. Mezclar la mantequilla con la harina, incorporar el queso, el perejil y la sal, y luego agregar unas 2 cucharadas de agua para formar una masa suave. Separarla en trozos pequeños y formar 20-25 bolitas.

3 Añadir las judías a la cacerola y cocer 5 minutos a fuego lento. A continuación, añadir los champiñones y los calabacines. Llevar a ebullición y mezclar bien. Colocar las bolitas encima. Tapar y cocer con suavidad durante 15 minutos, hasta que las bolitas ganen volumen. Rectificar de sal y servir espolvoreado con el cebollino y el perejil.

• Cada ración contiene: 285 kcal, 8 g de proteínas, 28 g de carbohidratos, 17 g de grasas, 7 g de grasas saturadas, 5,6 g de fibra, 0 g de azúcar añadido, 0,85 g de sal.

Los jugosos tomates y el queso fresco garantizan un plato
con sabores que estallarán en tu boca.

Tortilla de ensalada griega

10 huevos

un puñado de hojas de perejil picadas

2 cucharadas de aceite de oliva

1 cebolla roja grande, troceada

3 tomates cortados en trozos grandes

un buen puñado de aceitunas negras
   (deshuesadas mejor)

100 g de queso feta desmenuzado

15-20 minutos • 4-6 raciones

1 Precalentar el gratinador a temperatura alta.
Batir los huevos en un cuenco grande con el perejil
picado y sal y pimienta si se quiere. Calentar el
aceite en una sartén antiadherente grande y freír
los trozos de cebolla a fuego vivo durante
unos 4 minutos, hasta que empiecen a dorarse
los bordes. Añadir los tomates y las aceitunas,
remover y cocinar durante 1-2 minutos, hasta
que los tomates comiencen a ablandarse.
2 Bajar un poco el fuego y verter los huevos.
Removerlos cuando empiecen a cuajar, hasta
que estén medio hechos pero aún fluidos en
algunos puntos; es decir, unos 2 minutos. Echar
por encima el feta y luego colocar la sartén bajo
el gratinador durante 5-6 minutos, hasta que
la tortilla adquiera volumen y se dore. Cortar
en triángulos y servir directamente de la sartén.

• Cada ración contiene: 371 kcal, 24 g de proteínas,
5 g de carbohidratos, 28 g de grasas, 9 g de grasas
saturadas, 1 g de fibra, 0 g de azúcar añadido, 2 g
de sal.

Utiliza las verduras de cada temporada para este plato ligero
y atractivo. Para enriquecerlo, añade 100 g de queso feta al incorporar
el eneldo.

Pilaf de verduras al eneldo

1 cucharada de aceite de oliva
1 cebolla picada
300 g de arroz basmati
700 ml de caldo vegetal
100 g de espárragos cortados
   en trozos de 2 cm
un buen puñado de guisantes frescos
   o congelados
un buen puñado de habas frescas
   o congeladas
1 calabacín cortado en rodajas
un puñadito de eneldo picado

20 minutos • 4 raciones

1 Calentar el aceite en una sartén y freír
la cebolla durante 5 minutos, hasta que esté
blanda. Echar el arroz, verter el caldo y remover.
Llevar a ebullición y luego bajar el fuego al
mínimo, tapar y cocer durante 10 minutos
o hasta que el arroz esté casi hecho.
2 Añadir las verduras a la sartén, tapar y cocinar
unos 2 minutos. Retirar la sartén del fuego
y dejar que la mezcla repose, tapada, durante
otros 2 minutos para absorber el líquido que
quede. Espolvorear con el eneldo justo antes
de servir.

• Cada ración contiene: 317 kcal, 9 g de proteínas,
66 g de carbohidratos, 4 g de grasas, 1 g de grasas
saturadas, 3 g de fibra, 0 g de azúcar añadido, 0,58 g
de sal.

La carne de cuello de cordero es más cara que los dados
que se venden para estofar, pero reduce el tiempo de cocción
y es más tierna.

Guiso de cordero y pimientos rojos

1¼ kg de carne de cordero sin hueso,
   cortada en trozos pequeños
50 g de harina de trigo con sal
3 cucharadas de aceite de oliva
3 dientes de ajo machacados
300 ml de vino blanco seco
3 pimientos rojos grandes sin semillas
   y cortados en trozos de 5 cm
500 g de concentrado de tomate
300 ml de caldo (de cordero, de pollo
   o vegetal)
3 hojas de laurel
175 g de ciruelas secas o de orejones

50-60 minutos • 8 raciones

1 Pasar la carne de cordero por la harina con sal.
Calentar 2 cucharadas de aceite en una cazuela.
Dorar la carne en 2-3 tandas, añadiendo el resto
del aceite. Trasladar a una fuente con una
espumadera.
2 Poner toda la carne en la cazuela, echar
por encima el ajo y cocinar durante 1 minuto.
Verter el vino y, evitando que se pegue, cocinar
a fuego vivo hasta que se reduzca en un tercio
aproximadamente. Incorporar el resto de los
ingredientes excepto la fruta seca. Tapar y cocer
a fuego lento durante 30-40 minutos, hasta que
la carne esté tierna.
3 Agregar las ciruelas secas o los orejones
y calentar 5 minutos. Rectificar de sal antes de
servir.

• Cada ración contiene: 497 kcal, 31 g de proteínas,
22 g de carbohidratos, 32 g de grasas, 14,5 g de
grasas saturadas, 2,7 g de fibra, 0,9 g de azúcar
añadido, 0,69 g de sal.

Marinar las fresas en vino tinto les da un sabor delicioso, pero no lo hagas con demasiada antelación para que no pierdan su textura.

Fresas al vino tinto

700 g de fresas sin el tallo y cortadas
     por la mitad
3 cucharadas de azúcar refinado
un manojo de hojas de menta
     y unas cuantas de más
½ botella de vino tinto joven

5-10 minutos, más el marinado •
6 raciones

1 Poner las fresas en un bol y espolvorear con el azúcar. Echar por encima un puñado de hojas de menta y dejar que las fresas reposen durante unos 30 minutos para que empiecen a soltar su zumo.
2 Verter el vino sobre las fresas y echar por encima unas cuantas hojas de menta más. Dejar que repose otros 10 minutos antes de servir.

• Cada ración contiene: 102 kcal, 1 g de proteínas, 15 g de carbohidratos, 1 g de grasas, 0 g de grasas saturadas, 1 g de fibra, 8 g de azúcar añadido, 0,03 g de sal.

Para darle un toque extra de sabor y vitaminas a este sabroso postre,
utiliza en cada estación las frutas de la temporada.

Pastel de frutos rojas

500 g de frutos rojos

150 g de harina

75 g de mantequilla muy fría cortada
en trocitos

75 g de azúcar

nata montada, helado o crema inglesa
para servir

20-25 minutos • 4 raciones

1 En un bol, mezclar con los dedos la harina,
la mantequilla y el azúcar hasta que quede una
masa homogénea.

2 Precalentar el horno a 220°C. Echar los frutos
rojos en una fuente de horno y desmenuzar la
masa encima de la fruta.

3 Hornear durante 20 minutos hasta que el
pastel esté crujiente y dorado. Servir con nata
montada, helado o crema inglesa.

• Cada ración contiene: 457 kcal, 8 g de proteínas,
57 g de carbohidratos, 24 g de grasas, 13 g de grasas
saturadas, 6 g de fibra, 9 g de azúcar añadido, 1,2 g
de sal.

Para hacer púdines pequeños, desmiga el pan y ponlo en capas con la fruta en moldes individuales. Vuélcalos o sírvelos en su molde.

Pudin al cassis

450 g de frutos rojos
4 cucharadas de cassis (licor de grosellas negras)
250 g de compota de frutos rojos fría
6 rebanadas medianas de pan blanco sin corteza

40-50 minutos • 4 raciones

1 Mezclar los frutos rojos, el licor y la compota, y dejar que repose todo durante 5-10 minutos. Si se utiliza fruta congelada, descongelar y agregar parte del jugo.
2 Forrar una flanera de 1 litro y cuarto con film plástico, dejando que cuelgue sobre los lados. Cortar un círculo de una de las rebanadas de pan, ponerlo en la base de la flanera y cortar el resto del pan en cuartos.
3 Echar el jugo de la fruta en un cuenco y mojar el pan en él hasta que se empape. Colocar la fruta y el pan en capas en la flanera y verter encima el resto del jugo. Tapar con el film plástico colgante. Poner encima un platito que encaje con el borde de la flanera y luego apoyar un par de latas pesadas encima para hacer presión. Enfriar en la nevera durante al menos 10 minutos, o hasta que vaya a tomarse (se conserva hasta 24 horas).

• Cada ración contiene: 201 kcal, 5 g de proteínas, 46 g de carbohidratos, 1 g de grasas, 0,2 g de grasas saturadas, 5 g de fibra, 11 g de azúcar añadido, 0,6 g de sal.

¡A todo el mundo le encantará esta receta! Resulta difícil creer
que algo que sabe tan bien pueda prepararse tan deprisa
y con tan poco esfuerzo.

Pudin de bizcochos con tiramisú

300 ml de café de buena calidad
175 ml de licor amaretto
500 g de queso mascarpone
500 g de crema inglesa
250 g de bizcochos de soletilla
85 g de chocolate negro de buena
   calidad troceado

PARA DECORAR
4 cucharadas de almendras fileteadas
   y tostadas
chocolate negro en trocitos

10-15 minutos, más la refrigeración
• 8-10 raciones

1 Mezclar el café y el licor en una fuente. Con una batidora eléctrica o un batidor de varillas, batir el mascarpone junto con la crema inglesa en un cuenco.
2 Coger la tercera parte de los bizcochos y sumergir cada uno en la mezcla de café y licor hasta que esté blando pero no empapado. Forrar el fondo de una fuente de cristal y echar por encima un poco más de la mezcla de café.
3 Repartir un tercio del chocolate sobre los bizcochos y luego seguir con una capa de la mezcla de mascarpone. Repetir dos veces más. Enfriar en la nevera durante al menos 2 horas (a ser posible toda la noche). Decorar con las almendras y los trocitos de chocolate antes de servir.

• Cada ración contiene: 624 kcal, 8 g de proteínas, 54 g de carbohidratos, 39 g de grasas, 23 g de grasas saturadas, 1 g de fibra, 35 g de azúcar añadido, 0,38 g de sal.

Para esta receta, escoge unas ciruelas firmes. Si están muy maduras, soltarán demasiado zumo al manipularlas.

Tatin de ciruela con mazapán

25 g de mantequilla
25 g de azúcar moreno refinado
800 g de ciruelas cortadas
   por la mitad y deshuesadas
100 g de mazapán
40 g de almendras molidas
500 g de masa de hojaldre
nata líquida para servir

1-1¼ horas • 6-8 raciones

1 Precalentar el horno a 200 °C. Fundir la mantequilla a fuego medio en un molde de 28 cm para tarta Tatin. Echar el azúcar y 1 cucharada de agua, y remover durante unos minutos hasta que se dore ligeramente. Retirar del fuego y poner las ciruelas, con el corte hacia arriba.

2 Cortar el mazapán en tantos trozos como mitades de ciruela hay, poner un trozo dentro de cada ciruela y espolvorear con almendras molidas.

3 Extender la masa hasta que exceda el tamaño del molde en 4 cm. Poner las ciruelas encima de la masa y cubrir con la masa restante. Hornear durante 30-35 minutos, hasta que la masa esté hinchada, crujiente y dorada. Dejar que se enfríe 10 minutos y luego colocar un plato llano grande encima del molde. Sosteniéndolo sobre el fregadero por si gotea, invertir la tarta sobre el plato. Servir con la nata.

• Cada ración contiene: 511 kcal, 8 g de proteínas, 58 g de carbohidratos, 29 g de grasas, 3 g de grasas saturadas, 3 g de fibra, 13 g de azúcar añadido, 0,75 g de sal.

Te sorprenderán los colores y el delicioso sabor de este postre,
que se prepara con una sola cazuela.

Ensalada de frutas tropicales

1 papaya madura
1 piña pequeña
12 alquejenjes (*physalis*)
50 g de mantequilla
4 cucharadas de azúcar mascabado
4 cucharadas de ron de coco (o ron
    blanco o negro) o zumo
    de piña y coco
1 granada
helado de vainilla o de ron con pasas
    para servir

25-30 minutos • 4 raciones

1 Cortar la papaya por la mitad a lo largo y quitar las semillas. Pelar y cortar en medias lunas finas. Eliminar la parte superior, la inferior y la piel de la piña, y quitar todos los «ojos». Cortar la piña a lo largo en medias lunas y retirar la parte interior, más dura. Cortar cada media luna en trozos. Quitar el caliz de los alquejenjes.
2 Fundir la mantequilla con el azúcar en una cazuela grande y honda, añadir la fruta preparada y remover hasta que quede bien impregnada y brillante. Rociar con el ron o zumo de fruta, agregar los granos de granada y sacudir la cazuela para distribuirlo todo por igual. Servir caliente, con helado.

• Cada ración contiene: 308 kcal, 2 g de proteínas, 45 g de carbohidratos, 11 g de grasas, 6,5 g de grasas saturadas, 4,8 g de fibra, 15,2 g de azúcar añadido, 0,22 g de sal.

Sirve el pastel tibio para sacar el mayor partido
de los sutiles sabores.

Pastel clafoutis de cerezas con vainilla

650 g de cerezas frescas
4 cucharadas de azúcar moreno
    refinado
4 cucharadas de kirsch
3 huevos grandes
50 g de harina de trigo
150 ml de leche
200 ml de *crème fraîche* (entera
    o semidesnatada)
1 cucharadita de extracto de vainilla
azúcar glas para espolvorear

1-1¼ hora • 6 raciones

1 Precalentar el horno a 190 ºC. Deshuesar las
cerezas, intentando mantenerlas enteras.
2 Esparcir las cerezas sobre la base de una fuente
de horno untada de mantequilla, con una
capacidad de 1 litro más o menos. Echar sobre las
cerezas 1 cucharada de azúcar y otra de kirsch.
3 Batir los huevos con una batidora eléctrica
o a mano con varillas hasta que queden suaves
y espumosos; es decir, 1-2 minutos. Incorporar
batiendo la harina y el resto del azúcar, y luego
añadir el resto del kirsch, la leche, la *crème
fraîche* y el extracto de vainilla.
4 Verter la mezcla sobre las cerezas y hornear
durante 35-40 minutos, hasta que adquiera un
tenue color claro. Dejar que se enfríe un poco
a temperatura ambiente. Espolvorear ligeramente
con azúcar glas y servir tibio.

• Cada ración contiene: 309 kcal, 7 g de proteínas,
35 g de carbohidratos, 14 g de grasas, 7 g de grasas
saturadas, 1 g de fibra, 15 g de azúcar añadido, 0,23 g
de sal.

Para hacer un postre «para adultos», echa unas cuantas cucharadas de armagnac o brandy sobre los higos antes de hornearlos.

Higos con canela

8 higos maduros
1 nuez grande de mantequilla
4 cucharadas de miel
un puñado de pistachos o de
    almendras peladas
1 cucharadita de canela molida
    o mezcla de especias
queso mascarpone o yogur griego
    para servir

10 minutos • 4 raciones

1 Precalentar el gratinador a temperatura media-alta. Practicar una cruz profunda en la parte superior de cada higo y luego abrir como una flor. Colocar los higos en una fuente de horno y poner un trocito de mantequilla en el centro de cada uno. Rociar los higos con la miel; espolvorear con los frutos secos y las especias.
2 Meter en el horno durante 5 minutos, hasta que los higos estén blandos y la miel y la mantequilla formen una salsa pegajosa en el fondo de la fuente. Servir tibio, con mascarpone o yogur griego.

• Cada ración contiene: 162 kcal, 3 g de proteínas, 23 g de carbohidratos, 7 g de grasas, 2 g de grasas saturadas, 2 g de fibra, 11,5 g de azúcar añadido, 0,06 g de sal.

Parece un pudin más, pero es sencillo y delicioso, y se sirve caliente.
Los aromas de mermelada que desprende durante la cocción
son maravillosos.

Pudin de queso y frutos rojos

4 rebanadas de pan blanco sin corteza
85 g de azúcar moreno refinado
2 cucharaditas de harina de maíz
200 g de queso fresco bajo en grasa
300 g de frutos rojos variados
   (frambuesas, arándanos, grosellas
   rojas, fresas, etc.)

20-30 minutos • 4 raciones

1 Precalentar el gratinador a temperatura alta.
Colocar las rebanadas de pan ligeramente
superpuestas en una fuente de horno poco
honda. Espolvorear el pan con un par de
cucharadas de azúcar y gratinar durante 2
minutos, hasta que el pan esté tostado y el
azúcar empiece a caramelizarse. Mezclar
la harina con el queso fresco.
2 Apilar la fruta en el centro de la base de pan y
echar por encima 1 cucharada de azúcar. Repartir
unas cucharadas de la mezcla de queso fresco
y luego espolvorear con el resto del azúcar.
3 Poner la fuente de horno lo más cerca posible
del calor y gratinar durante 6-8 minutos, hasta
que el queso se dore y los demás ingredientes
empiecen a borbotear y verse jugosos. Dejar que
repose durante un par de minutos antes de servir.

• Cada ración contiene: 211 kcal, 7 g de proteínas,
47 g de carbohidratos, 1 g de grasas, 0 g de grasas
saturadas, 2 g de fibra, 22 g de azúcar añadido, 0,45 g
de sal.

Este postre tan especial constituye una buena alternativa
al pudin de Navidad. Sírvelo con nata o helado de vainilla.

Pudin especiado de fruta

1 taza de pasas de Corinto
1 taza de pasas sultanas
1 taza de harina con levadura
1 taza de mantequilla fría troceada
   y un poco más para engrasar
1 taza de miga de pan moreno (de
   unas 4 rebanadas de pan gruesas)
1 taza de azúcar mascabado
1 taza de frutos secos variados
   picados (opcional)
1 cucharadita de canela molida
1 cucharadita de mezcla de especias
   molidas
1 taza de leche
1 huevo grande

PARA SERVIR (OPCIONAL)
salsa de mantequilla y azúcar
   o de caramelo
un puñado de frutos secos variados

2½-3 horas • 8-10 raciones

1 Utilizando una taza de 300 ml como medida,
vaciar en un cuenco las 6 primeras tazas y los
frutos secos, si se utilizan, con las especias,
y luego mezclar con la leche y el huevo hasta
conseguir una textura homogénea. Echar
todo en una flanera de un litro y medio.
2 Cubrir con una capa doble de papel de
aluminio engrasado, formando un pliegue
en el centro para dejar que suba el pudin.
Atar con cordel y luego colocar en una vaporera
o cacerola ancha con suficiente agua hirviendo
para que llegue a media altura de la flanera.
Tapar y cocer al baño maría durante 2½ horas,
añadiendo más agua cuando sea necesario.
3 Para servir, desenvolver el pudin e invertir en un
plato hondo. Luego rociar con la salsa y decorar
la parte superior con frutos secos, si se quiere.

• Cada ración contiene: 423 kcal, 6 g de proteínas,
75 g de carbohidratos, 13 g de grasas, 7,9 g de grasas
saturadas, 1,8 g de fibra, 28,5 g de azúcar añadido,
0,66 g de sal.

Índice